KATAKAMUNA

カタカムナ

THE SPIRIT OF LANGUAGE

言霊の超法則

言葉の力を知れば、人生がわかる・未来が変わる！

吉野信子

徳間書店

はじめに――言葉の本当の力を知っていますか？

言葉というものには言霊《ことだま》が宿っています。

よく、植物を育てるときに、褒めたり、優しく問いかけたり、よい言葉を使うとよく育ってきれいな花やおいしい実がなると言います。

あるいは、逆境のときに、「私ならできる、きっとよくなる」というプラスの言葉を言い続けていると、不思議と状況がよくなっていくこともあります。

「ありがとう」「感謝します」「愛しています」など、みなさんも理論はわからなくても、なんとなく言葉の力を感じ、日ごろから使っていらっしゃるのではないでしょうか。

私自身、その言霊のすごい力を再確認したできごとがありました。

それは、２０１２年、イギリスでのことです。

ロンドンオリンピックの熱気さめやらぬ８月下旬、私はロンドンにいました。オリンピックに続いて開催される障害者スポーツの祭典、ロンドンパラリンピックに日本選手団のスタッフとして参加するためです。

今から10年ほど前、障害者競技であるゴールボールに出会って以来、ある時期まで日本代表の男女チームのサポートをしていました。海外遠征のときの通訳とか、審判会議、英語で書かれたルールブックの翻訳などをお手伝いしていたのです。

ちなみに、ゴールボールは、戦争で視覚に障害を負った軍人のリハビリのために考案された運動がスポーツ競技に発展したもので、体育館のコートの両端にゴールがあって、相手ゴールにボールを入れることができれば得点になります。ここまではハンドボールやサッカーと同じ。違うのは、競技者が全員目隠しをして、視覚を完全に遮断した状態で競技することです。音が鳴る鈴入りの特殊なボールを使って、耳を頼りに競技を行います。1976年のトロント大会（カナダ）からパラリンピックの正式種目に採用され、日本女子チームも2004年から3大会連続で出場していました。私も、アテネ、北京、ロンドンの3大会には通訳としてチームに帯同していました。

実は私は、ロンドンパラリンピックの前に、ゴールボールの仕事からは引退するつもりでした。このときすでにカタカムナに出会っていたので、研究活動との両立が難しくなっていたのです。

それでも、パラリンピックを目指して頑張っていた選手たちに、「どうしても残ってほしい」と懇願されて私はとても悩みました。

スポーツというのは、選手やコーチはもちろん、競技団体関係者など裏方まで含めたチーム力が重要なのは言うまでもありません。障害者スポーツはなおさら、その絆が強いのです。

私は通訳でしたが、そのときまでに約10年間、選手やコーチたちと苦楽を共にしてきました。みんな、私のこともチームメイトと受け止めて、大事に思ってくれているのです。

彼女たちの気持ちがわかっているからこそ私も悩みました。そこで私は、一計を案じます。言霊の力を使って、チームを金メダルに導くことができたら、私は役目を果たしたことになるのではないか。そうしたら、気持ちよくチームを去ろう。でももし、できなかったら、言霊の力なんてないことになる。そのときは、カタカムナのことはすっぱりあきらめ、金メダルがとれるまでチームのサポートを続けようと決めたのです。

とはいえ、これはかなり厳しいハードルでした。日本チームはその時点で、決して強豪チームと言えるレベルではありませんでした。ロンドンの前の北京パラリンピックのときには参加9チーム中7位という結果に終わっています。

そこで、まず、自分自身が、日本チームの金メダルを確信することから始めました。**言霊というのは心から信じないと効果がありません。なぜなら言葉に込められた「思い」が振動を起こし、現象化するからです。**

私が実際にやったことは、朝起きて、顔を洗ってから、CDをかけます。「坂の上の雲」のテーマ曲「Stand Alone」という曲です。「みんなの願いが夢を叶える」というテーマの歌なので、金メダルを目指すチームの夢を叶える歌として最適です。

CDに合わせて歌いながら、全国各地にいる選手、コーチ、関係者一人ひとりに「届け！」という気持ちを込めて、指先から愛を送りました。これを、毎朝、1年間続けたのです。

ただ歌うだけなら簡単ですが、難しいのは心を込めることです。チームの力を信じたい気持ちがあっても、心のどこかで「そうは言っても難しいかもしれない……」という弱い心が残ってしまうものです。

私自身、最初はなかなか勝利を信じ切るという境地になれなかったのですが、それでも毎朝あきらめずに続けていると、「こんなに愛しているチームの夢を叶えずにはおくものか！」と次第に決意が湧きあがってきます。

ここまでは前段階です。私一人がチームの勝利を信じているだけではもちろん不十分です。チームの心がひとつにまとまる必要があります。

そこで、次にやったことは「誓いの言葉」を作ることです。

選手やコーチ一人ひとりに、「心からの決意をひと言ずつ言って」と聞いて回り、出てきた言葉を集めて作ったのが、次の「ロンドンパラへの誓い」です。

ありがとう
勝つとは自分に勝つこと
さあ、上を向いて、階段を一歩一歩昇り、
頼むよ、仲間たち
何があっても　本気で集中
ボールが見える、動きがわかる

守るぞ、ゴール、破るぞ、ディフェンス
ロンドンパラの聖火の前で、笑って友と　そこに立つ!!

選手たちはすぐに全部覚えてきてくれました。練習の前、コートに並んで、一人が「ありがとう！」と唱えると、みんなが続いて一緒に「ありがとう！」と復唱する。次の人が「勝つとは自分に勝つこと！」と唱えると、みんなで「勝つとは自分に勝つこと！」と復唱していって、最後は「ロンドンパラの聖火の前で、笑って友と　そこに立つ!!」まで1行ずつ唱和するのです。

最初のころの弱々しい声は、だんだん力強くなってきて、やがては彼女たちの心の底からの叫びが、体育館中に鳴り響くようになっていきました。

それからです。チーム力がめきめき向上し、男子選手と対戦しても、ときには勝つこともあるほど強くなっていきました。

そのころ、もうひとつ私がやったことは、テーマソングを考えたことです。それは1994年にリリースされたSMAPの「オリジナル　スマイル」という歌なのですが、おおまかな内容は「一人ひとりが生まれたときに神様からもらった笑顔を取り戻そう！　そうすれば世界中が幸せになる」というものでした。私は「チームが世界一になりたいのであれば、世界一の意識を持つべきだ！」と思っていました。その意識を持って世界の舞台でプレイしてこそ、世界一になれると考えていたのです。この私の提案を、選手たちは快く受け入れてくれました。

ウォームアップ体操のときにこのCDをかけて、みんなで歌いながら軽快に体を動かしました。

するとチームの努力と、こうした努力のかいもあって、チーム力はグングン上がり、強くなっていきました。

そうして迎えたロンドンパラリンピック本番で、日本チームは粘り強く1勝1勝を重ねていきます。特にすごかったのが防御力で、相手チームに得点させないのです。しかし、油断は禁物です。なぜなら目標は世界一。ようやく準決勝まで上り詰めました。異変に気づいたのはそのときです。

選手が口々に、「ボールが見える、動きがわかるよ」と言うのです。

私ははっとしました。まさに、彼女たちが1年間、毎日唱和した「ロンドンパラへの誓い」に出てくる一節そのままです。

彼女たちはもともと視覚に障害がある上、絶対に光を通さないアイマスクをしているので、ボールの動きが見えるわけがないのです。それでも彼女たちは、「見える、見えるよ」と口々に言うではありませんか。今までの必死の訓練の成果もあり、第三の目がボールをとらえているのでしょう。

ボールの動きが見えているなら、相手のボールはブロックできます。それからはほとんど失点がなくなりました。

そうして迎えた決勝戦。相手は、公式戦無敗を誇る絶対的な王者、中国チームです。今大会でも絶好調で、それまでの6試合でなんと合計38点もの大量得点を挙げています。日本チームも必死で勝ち上がってきたのですが、6試合合わせて11点しかとっていません。力の違いは歴然、さすがに中国には勝てないだろう。誰もがそう思ったことでしょう。ところが、試合が始まると大変なことが起こります。ここまで面白いように得点を決めていた中国チームの攻撃がまったく機能しません。すべて日本がブロックしてしまうからです。

そうこうしているうちに、味方が放った球が相手チームの一瞬の隙をついて見事にゴール。なんとこれが決勝点となり、1対0で日本の勝利となりました。

本当に金メダルをとってしまったのです。奇跡が起きたのです。

けれど、本当の奇跡は金メダルをとったことではありませんでした。


ロンドンから帰国して2カ月後、自分で決めた通り、チームの金メダル獲得を見届けて私はゴールボールの仕事を引退し、カタカムナの研究に没頭する日々を迎えていました。

そんなとき、ふと、なぜあれほど見事に、願った通り金メダルがとれてしまったのだろうという疑問が頭をよぎりました。たしかに、言霊の力を試そうと思って始めたロンドンへの道でしたが、あのとき作った「ロンドンパラへの誓い」にそれほど強い言霊の力があったとは思えません。

というのも、ロンドンパラリンピックのころは、まだカタカムナの研究も途中の段階で、しかも競技のサポートに専念するため、研究はお休みしていましたから、カタカムナを意識して作ったわけではなかったのです。

ただ単に、選手やコーチから集めた言葉を少し整理して「アカサタナ順」に並べただけでした。

ところが、私が発見した「カタカムナの思念表」にあてはめ、改めて「ロンドンパラへの誓い」を読み解いてみて、私自身、驚愕《きょうがく》しました。

たしかに、「ロンドンパラへの誓い」は勝利に導く言葉でしたが、単に勝っただけではないのです。**実は、「ロンドンパラへの誓い」に秘められていた言霊の思念の通りに試合が展開していたのです。**

言霊とは、ここまで見事に現象化するものなのかと、私自身、何か空恐ろしいほどの戦《せん》慄《りつ》を覚えたのでした。

それほど大きな力を持つ言霊を理解し、適切に扱うことができたなら――人生は実に豊かなものになるでしょう！

本書は、言霊の力を最大限に利用するために、言葉が持つ根本的な意味をひもといていきます。

その基本になるのが古代からの叡智《えいち》、カタカムナ48音の思念です。カタカムナの教えがわかれば、言霊を利用することはもちろん、現実を思い通りに変えていく可能性があります。

さあ、みなさん、心の準備はいいですか？
旅の扉が今、開きます。
この旅は、驚きとひらめきに満ちています。
私と一緒に不思議で興味溢《あふ》れるカタカムナを巡る旅にでかけましょう！

第1章　カタカムナ文字とは何か

第2章 言霊に宿る思念を読む

第3章 思念読みから導き出される言霊の宇宙法則

第4章　いろいろな言葉を思念で読み解いてみよう

第5章 カタカムナウタヒを読む

第6章 歌や物語に込められた本当の意味を知る

カゴメカゴメ／君が代／古事記／あわのうた

編集協力／太田 聡
デザイン／冨澤 崇
本文レイアウト／茂呂田 剛
組版／キャップス
校正／みね工房

第1章

カタカムナ文字とは何か

不思議な文字カタカムナ

カタカムナはなぜこれほど人をひきつけるのでしょうか。
歴史の中に埋もれていたその図象が再発見されてから、まだ数十年しかたっていません。まだまだわかっていないことがたくさんあります。それでも、多くの人がカタカムナの研究や普及に取り組んでいます。なぜかそこに宇宙の真理があると直感するからでしょう。

私自身、8年ほど前にカタカムナに出会ってから、いっぺんでその不思議な魅力にとりつかれ、文字通り、寝ても覚めてもカタカムナのことが頭から離れない生活になりました。同時に、私自身の人生が、ものすごい勢いで変化していきます。

わずか8年前まで、普通の主婦だった私が、カタカムナ48音の思念を発見してから、言葉を読み解くことにより、さまざまな宇宙の真理がわかるようになり、今では、毎週のように日本中をセミナーでかけ回り、それまでの人生ではとうてい出会うことができなかった、たくさんの人々と出会い、こうして本まで出すようになりました。

何かに導かれるように、望んでいることが次々と起こり、会うべき人には必ず出会い、写真を撮ると、実に美しいさまざまな光が入ってくるようになりました。

決して理系科目が得意ではなく、宇宙論などむしろ疎《うと》い部類の人間だった私が、カタカムナを研究し始めてから、素粒子論や超ヒモ理論などの宇宙論を熱く語り、あるいは通訳・翻訳という職業柄、西欧的思考が強かった私が、今では、「すべては陰と陽で成り立っている」……などと、東洋哲学を人に説くようになっています。

カタカムナを知れば知るほど、物事の本質を見抜く力が冴えわたり、知らないことでもなぜそうなっているのかが、不思議とわかってしまいます。カタカムナを通して、物事を見ると、宇宙の真理や生命の本質がシースルーになり、透けて見える感じなのです。

カタカムナ文字は「〇」や「。」や「|」などで描かれたシンプルな図象であり、ある種の物理学的な文字だとされています。他の文字ときわめて異なるところは、その文字が右渦巻き状に描かれているということです。このような渦巻文字は、世界に類を見ません。

しかし、遺跡が発見されたわけでもなく、「カタカムナ　ウタヒ」と言われる5・7調で書かれた80首のウタを写し取った文献が残っているだけなので、原本が書かれた年代も目的も、誰が書いたのかもはっきりとはわかっていません。
縄文以降の遺跡には、このような文字は発見されていないので、それ以前の、上古代と呼ばれる時期に、日本に始まった文明があり、48音という日本語の原点を生み出したのではないかと考えられます。なぜなら第5首・第6首には、日本語の「ヒフミ48音」のウタが書かれているからです。偽書だと決めつける専門家もいますが、内容を知ると簡単に後世の人間が作り出せるものではないことがわかります。

現代人は、人間は進化してきたとかたく信じていますが、実は、人間の脳に関して言えば、文明の発達により、大きく退化してきたのかもしれません。もしかしたら縄文以前の日本人は、現代人が見えない光を見たり感じたりすることができ、私たちが聞こえない音を聞き取る能力があったのかもしれません。直感力で本質を見極める力は、さまざまな文明の利器に頼って生きている現代人よりもはるかに進化していたでしょう。実はほとんどが使われていないと言われる現代人の脳が、もしかしたらカタカムナ人には機能していた可能性があります。彼らが宇宙の真理を把握していなければ、現代科学を凌駕《りょうが》する宇宙や生命の本質が、カタカムナ文献に描かれているはずがないからです。彼らは宇宙人だったという説もあるようですが、宇宙人も地球に生まれたら地球人と呼ばれ、火星に生まれたら火星人と呼ばれることでしょう。たまたま地球の磁場に取り込まれた生命の種《たね》を地球人と呼んでいるだけ。生命の種は宇宙に遍満していると考えるほうが理屈に合っています。

一般的には、カタカムナ文明は、縄文以前、年代で言うと、1万2000年前から4万年前ごろまでの上古代と呼ばれる時代に存在したと言われていますが、私はその当時、日本、アジア一帯に広がった文明だったのではないかと推測しています。カタカムナ人を「アジア族」と呼んでいたようですが、「アジア」を英語で書くと「asia ＝アジア」となるのも不思議な一致です。国境もなくパスポートのいらない時代、人間は、行きたいところへと旅をし、住みたいところに住んでいたのではないでしょうか？　高度な理解力を持っていた彼らにとって、海は、隔てるものではなく、陸をつなぐ通路と感じていたのかもしれません。

カタカムナから学ぶ、不思議な宇宙と生命の真理がここに描かれています。現代人が抱える文明の行き詰まりを打開する「カギ」がここにあると言っても過言ではありません。

今も私自身、カタカムナに出会ってから、日々、進化し、導かれ、昨日まで知らなかった真実に目覚め、新しい可能性を発見しています。このすばらしさを、より多くの人と分かち合いたいと心から願っています。

言葉の意味を知るとこれから起こることがわかる

本書では、そんなカタカムナ文字が示す果てしない世界観の一部を体得していただきたいと思います。

具体的には、言葉に宿る「思念」「エネルギー」といったものを解き明かしていくことで、私たちが普段なにげなく話している言葉、あるいは、身近な人や物の名前、それに、社会現象や歌、物語にいたるまで、そこに秘められた意味を知り、本質がなんであるかを突き止める方法をお伝えします。

その方法は、私が考案した「思念表」を使います。

思念表は、カタカムナ文字48音それぞれに宿る「思念」を特定して一覧表にしたものです。

試行錯誤の末、カタカムナの48音それぞれに宿る思念を特定して、現代語の片仮名48音にあてはめた上で、単語や文章を読んでみると、その言葉の本質的な意味が面白いほど浮き彫りになることを発見しました。

思念表を使いこなせるようになれば、この世のいろいろな事柄、物、人、現象の本質的な意味を解明することができます（第1章の最後に、カタカムナ思念表を掲載していますので参照してください）。

たとえば、自分の名前。みなさんのお名前は、ご両親や周りの方々が思いを込めて一生懸命に考えてくださったものだと思います。けれど、それ以上に、音そのものが持つ意味（思念）があり、実は、命名される前にあなたが発した振動を受け取って、名づけ親は、その振動に合致した名前をつけさせられているのです。

言葉とは、モノやヒト、現象などにつけられた言い方ですが、名前も自分という人間を特定する言葉です。他の言葉が思念で読み解け、その本質がわかるのであれば、人の名前を読み解けば、その人が生きている使命がわかるでしょう。だから、人の名前を「氏名＝使命」と呼ぶのです。後にお話ししますが、同音異義語は、振動数が同じなので実は同じ本質を持っています。

それから、今のはやり言葉、ヒットした商品、あるいは社会現象にどんな意味があるのか、どんな歴史的役割があるのか、評論的に見るのではなく、思念から読み解いて本質がわかるとしたら、ちょっと興味が湧いてきませんか？

たとえば、２０１４年大ヒットした「アナと雪の女王」、なぜあんなにヒットしたのでしょうか。そこにある本質的な意味がわかったら、面白いですよね。これは後ほど説明したいと思います。

日本人の精神性の原点がここにある

話は、私が社会人になるころですから今から40年ほど前にさかのぼります。まだカタカムナに出会っていないころのことです。

私の小さいころからの夢は、世界の懸け橋になることでした。そこで、私は国際線のスチュワーデス、今で言うキャビンアテンダントになる道を選んだのです。

運よく採用試験に合格し、晴れてキャビンアテンダントになった私は、望み通り、たくさんの国を巡り歩くことができました。アメリカ、ヨーロッパはもちろん、アジア、アラブ、アフリカ、本当にいろいろなところに行きました。その当時の一般的な日本人は、外国の優れた文化をもっと日本に取り入れなければいけないと感じていたと思います。私もその一人でした。

しかし私は、世界中の空を飛び回る仕事を続けているうちにハタと気づいたのです。それはどこの国や地域に行っても、日本より優れている国はないということでした。何が優れていると感じたかというと、人間に対する考え方が、日本は外国より優れている……と肌で感じたのです。

いろいろな意味で、日本はとても特殊だったのです。変わった国だけれど、とても行き届いているのです。どの国もユニークなのですが、日本ほど自然環境や人的環境を含めて住みやすい国はないし、これほどすばらしい文化を持っている国はほかに見つけることはできませんでした。

外国の実体を知れば知るほど、日本という国のすばらしさを知りました。最初は「外国から優れたところを学んで世界の懸け橋になりたい！」と考えていたのですが、これは次第に「日本のすばらしさを知らせることができる世界の懸け橋になりたい！」という思いに変わっていきました。いったいなぜ日本だけが別格なのでしょう。日本の源流をもっともっと知らなければいけない。これほど人間が優しくなれる、その発信源はいったい何なのだろうか？　とそればかり毎日考えていました。

やがて航空会社を退職して家庭に入り、通訳の仕事などを続けながら独学で日本のことを学ぶようになり、そうして、30年が過ぎようとしたころ出会ったのがカタカムナだったのです。

カタカムナに触れた瞬間、直感的に「これだ！」と感じました。私が長年疑問に思っていた答えがこれではないか、つまり、日本人の文化の原点にあったものこそカタカムナではないかと思ったのです。なぜならカタカムナウタヒ第5首・第6首には、日本語の声音がそのまま「ヒフミ48音」として表されています。また、その知り得た概略は、西欧の一神教的なるものとはまったく違い、「生命と宇宙」の成り立ちが見えないエネルギーによって生み出されると書いてあったからです。

キリスト教の経典には、言葉を神聖視する記述が見られます。

「初めに言（コトバ）があった。言（コトバ）は神であった。この言（コトバ）は、初めに神と共にあった。万物は言（コトバ）によって成った」（ヨハネ福音書）
「世界中は同じ言葉を使って、同じように話していた」（創世記）

この記述が真実なら、太古の昔、人類は、共通の思念、エネルギーによって意思の疎通ができていたのかもしれません。

それがいつのまにか、たくさんの言語に分かれてしまうと、お互いが理解し合えなくなり、争いの絶えない時代になってしまったというわけです。

万葉集に、「言霊《ことだま》の幸《さきわ》ふ国《くに》」という言葉が出てきます。辞書を引くと、これは、「言葉の霊力が幸福をもたらす国。日本のこと」または、「言語の呪力によって、幸福がもたらされている国。日本の美称」とありました。

この言霊の力こそ、日本の源流だ！　そしてその源流は、カタカムナを源としていると私は感じたのでした。

カタカムナの再発見に尽くした功労者

カタカムナが世に知られるようになったのは科学者である楢崎皐月氏の功績によるものです。彼は遠い昔から代々にわたって大切に守り伝えられ、決して世に出ることのなかったカタカムナ文書を１９４９年に発見し、研究の末、その独特の図象が文字であることを突き止め、その文字の読み方を発見しました。

楢崎氏は鉄の専門家として戦前から活躍していた方で、戦時中に日本が満州に建てた製鉄所の仕事のため満州に暮らしていた時期がありました。

そこで知り合ったのが、蘆有三《ロウサン》さんという不思議な老人です。楢崎氏が住んでいた近くにあった老子教の寺のご住職なのですが、遊びに行くと、いつもそこから来るのを知っていたかのように門の前で待っていて出迎えてくれたそうです。

最初はたまたまかなと思っていたらそうではないことにすぐ気づきます。

そのお寺には、複数の門があって、入る門はいつもバラバラ、訪ねていく時間もまちまちであるにもかかわらず、いつ訪ねても、どの門から入っても、必ずそこに彼が立って待っているのです。

寺にあがってお茶を振る舞っていただくと、さらに不思議なことが起こります。ご住職は手慣れた所作で、鉄釜に水を入れて炉にかけるけれど、炉には炭も薪も入っていません。どうするのかと思って見ていたら、枯葉を5、6枚摑《つか》んでくしゃくしゃと丸めて炉に投げ入れ火をつけました。すると、あっというまにお湯がぐらぐら沸いてしまったというのです。


鉄の専門家である楢崎氏は、これは鉄釜に秘密があるにちがいないと思いました。超絶的な熱伝導率と言えます。今までそんな鉄製品を見たことはないのでとても興味をひかれたのです。

そこで、彼に「この鉄釜をぜひ譲ってほしい」と頼むと、「残念ながら、この鉄釜を譲ることはできないが、もともと日本から来たものだから、帰国したら探してみるといい」と言われたそうです。

鉄釜を作ったのは、「八鏡文字《はっきょうもじ》」という不思議な文字を使うアシア族で、古代に日本でとても高度な文明を築いていた」ということでした。そのとき楢崎氏の脳裏には、「アシア族」「八鏡文字」という言葉が強烈に印象づけられたのでした！

やがて終戦を迎え、苦労して日本に帰国した楢崎氏は、ある製薬会社の経営者から、食糧難を解決するための実験を依頼されます。それは、野菜の促成栽培を可能にする技術の一環で、土地の状態と植物の生育状況に関する影響を調べるものです。

楢崎氏は鉄の専門家ですが、鉄も原材料や製鉄の仕方がまったく同じであるにもかかわらず、作られた場所によって品質がまったく変わってしまうことがあることに気づき、どうも土地の電位の違いが品質に影響しているのではないかと考えていました。その説が証明できれば、野菜の栽培にも応用できるのではないかと考えたのです。

そこで、日本全国の土地の電位を測定して回る活動を始めました。

研究を始めて数年後の1949年、実験のため兵庫県六甲山系金鳥山付近にたどり着いたときのことです。いつものように測定の作業をしていたら、突然、猟師のような風体の不思議な老人が現れました。「平十字《ひらとうじ》」という人です。彼は、「あちこちに機具をしかけているのはお前たちか？　動物が迷惑をしているからどけてくれんか」と言うのです。

そこで楢崎氏は何の反論もせず言われた通り素直にそれらを撤去しました。

すると、その素直な人柄を気に入ったのか、平十字氏は腰につけていた巻物を見せてくれました。

彼が言うには、その巻物は「カタカムナ神社で宮司をしていた父親へと代々引き継がれてきたカタカムナ神社の御神体だ」ということで、子供のころから「見たら、目がつぶれる」と脅されていたそうです。その巻物に描かれていた図象を見たとき、楢崎氏はもしかしたらこれが満州の蘆有三から伝えられた日本のアシア族が使っていたとされる「八鏡文字」ではないか、と直感したのです。

楢崎氏が書写を願い出ると、平十字氏が毎夜、持ってきてくれることになり、20日間かけてすべてノートに書き写しました。これが今に残る「カタカムナ文献」と言われるものです。楢崎氏はそれ以後、その解読に半生を捧げることになりました。

そうして、長年の研究の末、ついにその不思議な図象が文字であることを証明し、カタカムナウタヒの読み方を発見しました。そしてその内容を相似象学会誌『相似象』としてまとめたのです。これが現在のカタカムナ研究のすべての原典になっています。現在はかぎられたところでしか購入できませんが、学ばれたい方は読んでみてください。

48の声音符に秘められた意味

楢崎氏が平十字氏から写させてもらったカタカムナ文献は、全部で80首ありました。すべて丸や線などシンプルな造形を持った円型の図象が渦巻き状に描かれています。

たとえば、このような図象です（相似象学会誌『相似象』〈第九号〉八鏡之文字研究資料を元に作図）。

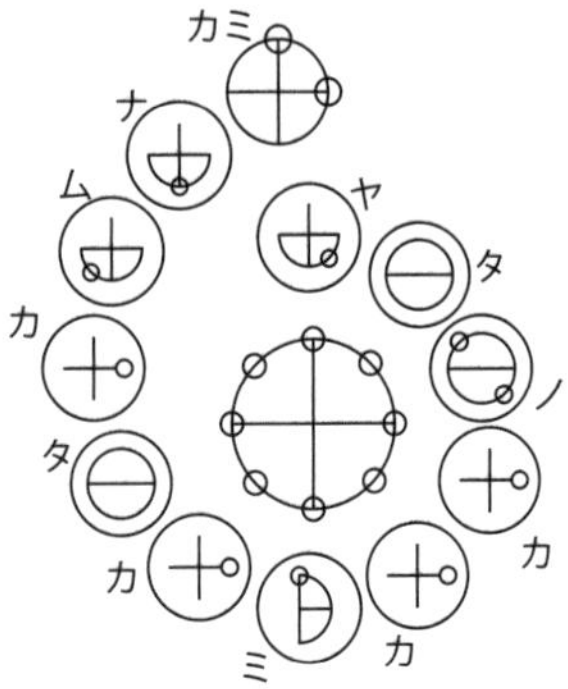

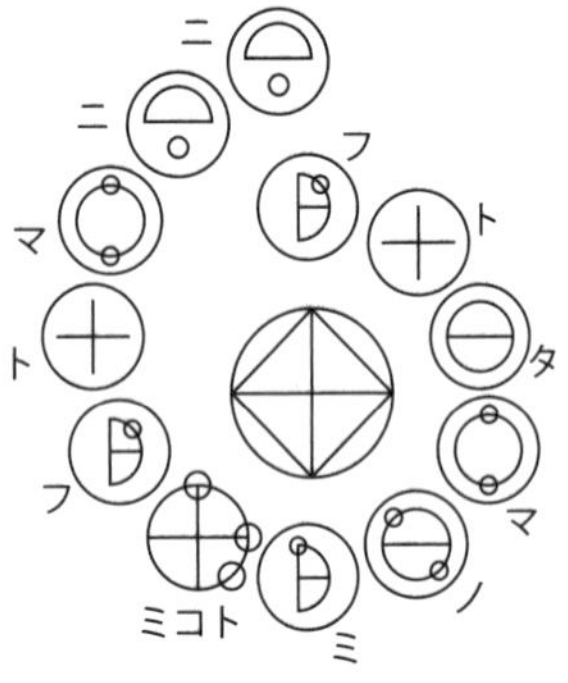

楢崎氏は、当初から、「これは文字ではないか」と考えていました。そして、『古事記』

などの古い文献を頼りに、膨大な時間と大変な苦労を重ねて、1文字1文字を解読していく作業を始めました。最終的に、「これで読めた」という決め手になったのは、神様の名前だったそうです。

『古事記』の上巻《かみつまき》という最初の章から、有名な天石屋戸開きのくだりのところまでに、この世界をつくった神様の御神名がたくさん出てきますが、それらの御神名がカタカムナウタヒにもほとんどその順番で描かれていることがわかったそうです。

神様の名前というのは時代によって変わるものではないし、口頭伝承していくときにも間違わないよう慎重に伝えるはずです。したがって、神様の名前こそ、古代から正確に伝えられている言葉だと考えられ、それに対応しているということは、楢崎氏が解読した読み方は正しいと判断できるわけです。

こうして、最終的にカタカムナ文字は48音に分類されました。この48音を「声音符」と言います。

現在の日本語も実質48音なので、カタカムナ文字は日本語の原型だと思われます。一般的には、カタカナは漢字の一部からできたと説明されているようですが、特に「カタカナ」文字と、カタカムナ文字には多くの類似点があることから、カタカナの原点となったのがカタカムナ文字ではないかと推測されます。

また、解読したカタカムナ文献を実際に読んでみたところ、中心図象から放射状に広がるカタカムナ文字の一塊を「ウタヒ」と読むことがわかりました。ここから、カタカムナ文献は一種の「歌」であることがわかり、1首、2首と数えるようになっています。

歌と考えると、ウタヒは5音・7音の区切りで詠われていることから、日本の和歌や俳句の源流なのかもしれません。

より詳細に言うと、カタカムナ文字は48文字48音ではなく、たとえば、1文字で「ミコト（命）」と読む文字などがあり、1つの文字で複数の読み方をするものもあります。

そうした複合文字についてはまだ研究の過程で、すべてが明らかになっているわけではなく、今後の研究が待たれるところです。

ともあれ、こうして、カタカムナ文字は文字として解読され、世の中に知られる現在の体系ができあがりました。楢崎氏の研究という土台がなければ、私を含め、現在のカタカムナ研究のすべてはあり得ない、それほど重要で、貴重な発見だったのです。

三種の神器とカタカムナウタヒの符合が意味するもの

80首のカタカムナウタヒをよくよく見ていると、大きく3つのパターンがあることがわかります（カタカムナウタヒ80首は本書の巻末を参照ください）。

ポイントは、渦巻きの中心です。

ウタヒの渦巻きの中心にある図象は、3種類しかありません。そして、中心は文字としては読まず、何かを象徴しているものです。

ひとつは、円に十字が切ってあり、円の外周が小さな8つの丸で飾られている図象で、「ヤタノカガミ」と言います。

2つめは、円に十字とひし形が描かれた図象で、「フトマニ」と言います。

3つめは、シンプルな円形で、「ミクマリ」と言います。

この3つが何を象徴しているかわかるでしょうか。

「ヤタノカガミ」は想像できるのではないでしょうか。

第1首

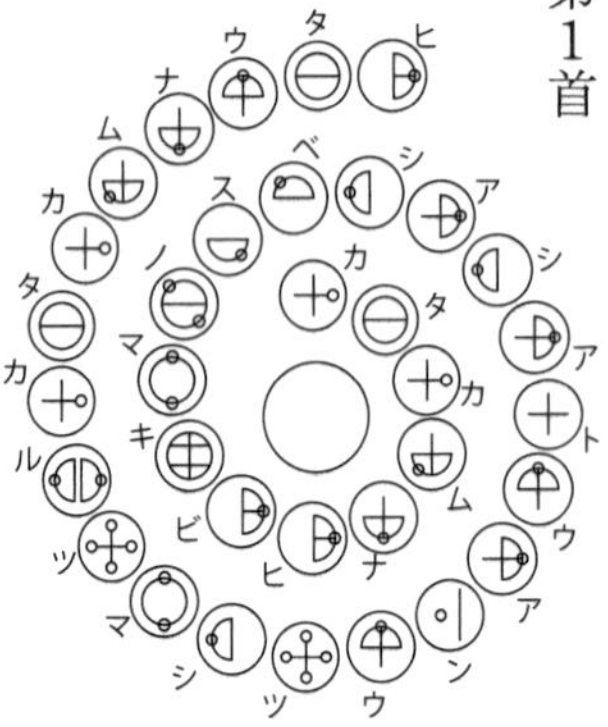
カタカムナ
ヒビキ
マノスベシ
アシアトウアン
ウツシマツル
カタカムナ
ウタヒ

第2首

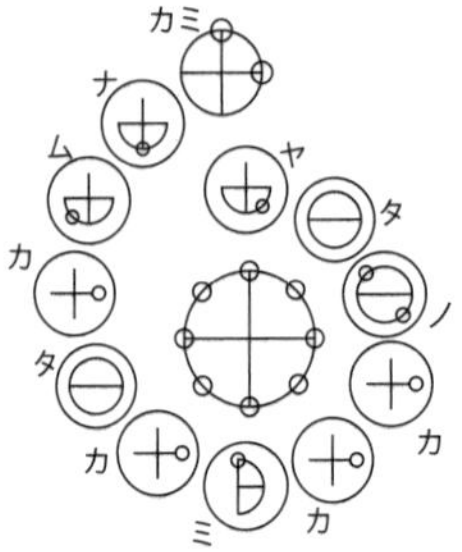
ヤタノ
カカミ
カタカムナ
カミ

第3首

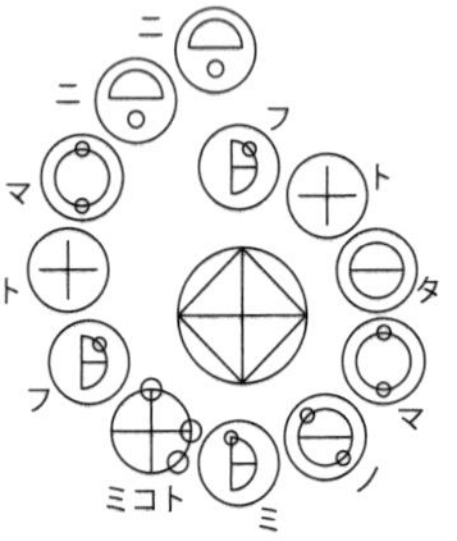
フトタマノ
ミ
ミコト
フトマニニ

カタカムナウタヒ中心図象

ヤタノカカミ

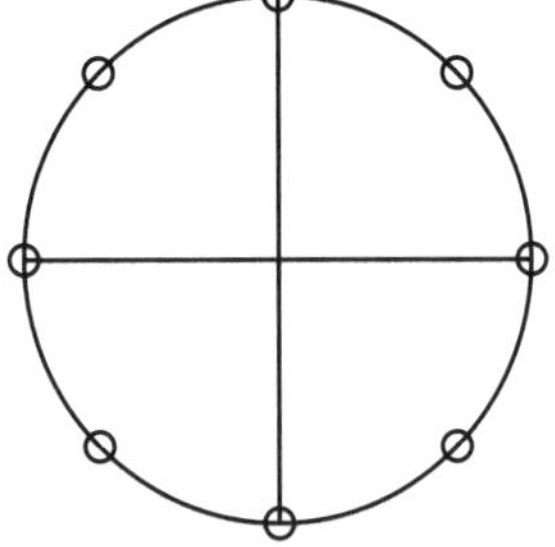

「ヤタノカガミ」とは、その名の通り「八咫《やたの》鏡《かがみ》」です。天の安の河の上流にある天《アメ》の堅《カタ》石《シワ》を取り、天の金山の鉄を取り、イシコリドメの命《みこと》に命じて作らせたという神聖な鏡で、三種の神器のひとつ、もっとも神聖な神道のご神体でもあります。

すると、フトマニとミクマリは、もう想像がつくでしょうか？

フトマニは三種の神器のひとつで、八俣《やまたの》大蛇《おろち》を退治したときにその尻尾《しっぽ》から出てきた聖剣「草薙剣《くさなぎのつるぎ》」です。ひし形の図象は、剣を切っ先から真正面に見たときの形をほうふつとさせます。

そして、３つめのミクマリはもちろん、三種の神器の残りひとつ、「勾玉《まがたま》」です。

カタカムナウタヒ中心図象

フトマニ（カタカムナ）

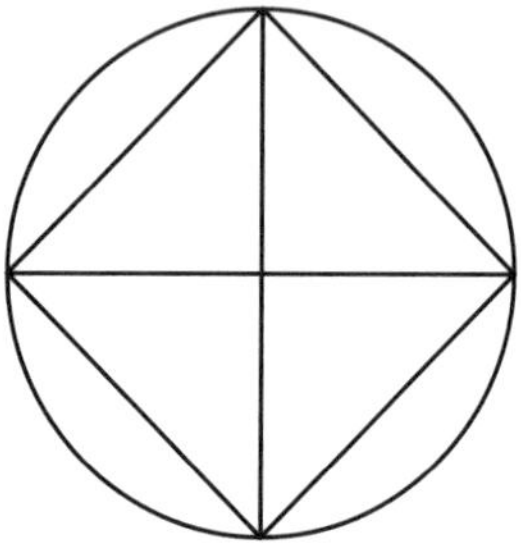

普通、みなさんが想像する勾玉は、オタマジャクシのような形だと思います。

勾玉は、見えている部分だけではなく、見えない部分があって、本当はもうひとつの同じオタマジャクシと互い違いに合わさってひとつの球体になっているのです。「陰陽」の図を思い浮かべると、まさにあのままで、白い陽の部分が見えているところで、黒い陰の部分は陰《かげ》になっているので形にしないだけで存在しているのです。だから「タマ」と表現されるのですね。

神道にとってもっとも大事な宝であり、天皇を象徴する三種の神器がなぜカタカムナの中心図象になっているのでしょう。よくよく考えると不思議な話です。

カタカムナウタヒ中心図象

ミクマリ（勾玉）

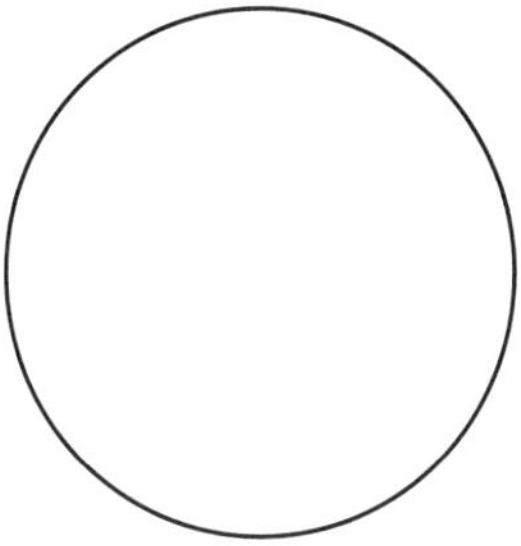

冒頭の話を思い出していただくと、カタカムナ文字は、縄文時代より古いはるか昔に成立し、縄文人よりも前から日本列島に住んでいたカタカムナ人によって伝えられたと考えられています。

そのカタカムナ人がすでに三種の神器を重要なモチーフとして用いていたということは、現代に受け継がれる日本創生神話のルーツは、カタカムナ時代にあると考えられるのではないでしょうか。カタカムナ文明を引き継いだ、縄文人が彼らの教えと文明の痕跡を神話の中に残したのかもしれません。

ところで、三種の神器の「神器」を声に出して読むと、どう読むでしょう。

「ジンギ」と読むと、「生命の内側にある見えない大いなる示しのエネルギー」となり、生命体の中心部から発する「命のシステム」を表現しています。しかし、このシステムを具象化したモノ（天皇家の三種の神器……伊勢にある八咫鏡、熱田神宮の草薙剣など）を表すときには「シンキ」と読むのです。

「シ・ン・キ」という3つの文字を「思念」で読み解くと、「大いなる示しのエネルギー」と読めます。神器というのは、本質的にはエネルギーのことであり、つまり、三種の神器とは、この世界や生命体を生み出し、維持するエネルギーのことなのです。

そのことを、よく表す儀式が現在でも皇室に引き継がれています。それは「立太子の儀」と言って、皇子が次の天皇に任命され、皇太子に即位するときに行われる儀式です。ただし、公式には立太子の儀式の内容を記録したものは見られません。そもそも、皇室の行事は門外不出で、現在は一部マスコミに公開されるようなこともありますが、基本的に、儀式の内容は現在でも秘密にされているようです。

ともあれ、私も話に聞いただけなので、細かいところは不明ですが、それによると、マナの壺《つぼ》（真名の壺のことか）と呼ばれる器が儀式の重要な役割を果たします。その壺には、セラミック片が50個入っており、油紙で蓋をしてあるそうです。

儀式では、天皇陛下が次の天皇となる予定の皇子に、その壺と一緒に小刀を一振りお渡しになります。皇子はそれを受け取ると、小刀で壺を蓋している油紙を十字にピッと切り、中に手を突っ込んで、50個ぐらいあるセラミック板を手探りでひとつずつ取り出します。

そのセラミック板にはひとつひとつ文字が彫ってあり、皇子は出てきた文字を、「ひーふーみー」と読みあげるのだそうです。この儀式を経ることによって、皇子は天皇の継承権を持つ皇太子となるのです。

私はこの話を聞いて、天皇家はカタカムナを引き継いでいるのだと確信しました。カタカムナ文字にとって十字はとても重要な意味があります。カタカムナはすべての生命、物質の核であり、そこからトキトコロ（時間と空間）が発信・放射され、生命活動が維持されていると説きます。そしてこれこそ、宇宙のすべての物質、生命体に一貫する共通の性質、相似の象（カタチ）だとカタカムナでは定義しています。

この中で、「十」はエネルギーの放出口であるとともに進入口でもあり、エネルギーが放出されてぐるっと巡ってまた戻ってくるという循環の〝要《かなめ》〟の役割を果たします。その様子を表しているのが、カタカムナ文献の渦巻き文様です。

その視点で改めて立太子の儀式を見てみると、それはカタカムナウタヒの渦巻き文様の通り、中心図象の十字から言霊が次々に放出される様そのものを模していることがわかります。

思いが言葉をつくり、言葉は現象化する

カタカムナのカタとは「カタチのあるもの＝物質・生命体」のことです。これをカタカムナではエネルギーの「容《い》れ物《もの》」と見ます。つまり「カタ」とは「空間」のことなのです。たとえばクッキーを成形するための枠、あれも「カタ」と呼びますよね。生地を伸ばして型で抜くと、ハート型や星型のクッキーができますけれど、そのとき同時に、生地には♡や☆型の穴があきます。この穴のことを「カタ」と言うのです。

次に、カムというのは「その力の広がり＝生命エネルギー・魂」のことで、カタから湧き出ています。空っぽの空間に、エネルギーが入ることで、初めて形のある肉体や物体ができるのです。そして、カタとカムの2つを統合する核を「ナ」といい、「ナ」は「十」

に通じます。カタとカムの統合した肉体から、ナを通して何かが放出されている。その何かとは、言霊であり、したがって生命体から放出されている言霊が現象界に実体を表す力となっているとカタカムナでは言っているのです。

この「カタカムナ」という目に見えない生命エネルギーの循環する構造がすべての生命、すべての物体、すべての現象の基本構造です。

好むと好まざるとにかかわらず、核を通して放射されたエネルギー、すなわち自分の心、あるいは口から発した言葉が解き放たれると、現象世界に振動を伝え、具象化を引き起こしていきます。

「カタカムナ」は、自分の感じる心の中にあり、「今」を感じてどう思うかが震源となり、現実の世界に共振現象を起こし、実際に現象として現れるのです。

この原理を知ることは、自分の生き方に大きな変化をもたらすことになるでしょう。

たとえば、先ほどちょっと触れた、「アナと雪の女王」がなぜあんなにヒットしたのか、です。

タイトル全部だと長いので、日本では省略して「アナ雪」と呼んでいますよね。略語として多用された「アナ雪」で、見てみましょう。
カタカナに直して思念表に対応させると次のようになります。

ア＝感じる・生命
ナ＝核・重要なもの
ユ＝湧き出る
キ＝エネルギー・気

つなげると、「生命　核　湧き出る　エネルギー」となり、さらに、わかりやすいように助詞をつけて文章にすると、「生命の核から湧き出るエネルギー」となります。
アナとは「感じる核」となり、陰（凹）を表します。穴ですね。雪（ユキ）とは、「湧き出るエネルギー」で、陽（生命エネルギー＝凸）を表します。実は「アナ雪」とは、「陰陽＝☯＝凸凹」のことなのです。雪の女王の名前は「エルサ」、思念で読み解くと、「うつる・止まる・遮り」となり、凹のアナに入り込んで、出てこられない湧き出そうとするエネルギー（ユキ）のことを表現しています。これが「Let it go!」と、叫んでアナを反転させ中から飛び出そう！　本当の自分を見せよう！　と歌っているのです。カタカムナでは、陽は「生命エネルギー」であり、陰は私たちの「身体」を意味します。つまり「アナ」も「雪」も両方自分のことなのです。自分の身体は滅びるものですが、生命エネルギーは永遠です。見えているものに惑わされず、自分自身が持つ「命のエネルギーを湧き出させよう！　全力で生きよう！」と歌っているのです！　そしてそれが世界の言葉で熱唱されたのですね！　今は世界が大きく変化する転換点だと言われます。これから新しい「生命を尊ぶ世」へとうつり変わっていくひとつの暗示だったのかもしれません。実は世界中がこの隠されたメッセージには気づかないまま、心の中ではそれを求めていたので大ヒットしたのでしょうね！

　このように、思念を使いこなすことができれば、流行しているものの本質、時代性といったことがわかり、これを突き詰めれば、世の中の動き、できごとの意味、今起こっていることの本質が理解できるようになります。

　さらに、流行《はや》り廃《すた》り、頻発する現象、そういうものを見て読み解いていくと、その発信源の振動がわかるし、これから何が現象化しようとしているのかも、あらかじめ感じ取ることができるようになるのです。

カタカムナから見える宇宙の構造

言霊はなぜそんなに大きな力を持っているのでしょうか。

それは、カタカムナの渦巻き構造が理解できれば、自ずと納得できます。

ちょっと難しい話になりますが、大事なことなので少しだけ触れておきたいと思います。

私は、カタカムナを理解したい一心で、来る日も来る日もカタカムナウタヒの渦巻きを眺めていました。するとある日のこと、紙に描いた渦巻き状のウタヒが突然、３次元になって動き出したように見えたのです。

「あれっ、目の錯覚かな」と思ったものの、気になって、その動きをなんとなく図に描いてみました。自分で描いた図を見て驚きました。ウタヒが象徴しているカタカムナの構造がわかってしまったのです。

どういうことか、お話ししますね。

全部で80首あるカタカムナウタヒの中心図象として、80首中71首とほとんどを占めているのがヤタノカガミです。

ヤタノカカミ図象を48音と合わせてみると……

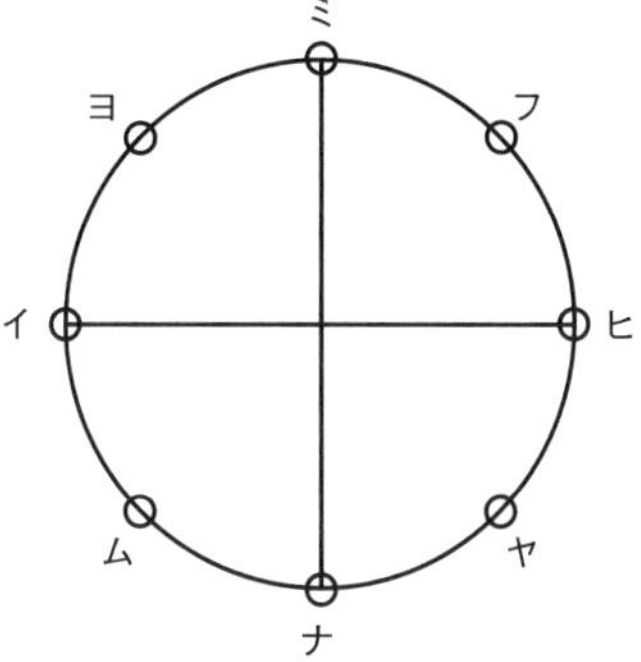

ヤタノカガミはそれひとつでは文字として読みませんが、分解すると、8つのカタカムナ文字が隠れていることがわかります。それを、右端から反時計回りに読むと、「ヒフミヨイムナヤ」になります。

これは、カタカムナウタヒ80首の中でも、もっとも重要なウタヒのひとつとされる第5首と出だしが同じです。ただし、ヤタノカガミの「ヒフミヨイムナヤ」は左回りにしか読めなくて、ウタヒは逆に右回りでしか読めません。お互いに逆回りなのです。

実は、この左回りと右回りで、お互い反発するように回っているというのはとても重要な意味があります。

どういうことかというと、渦巻きの右回り

というのは時間が消費する方向にあることを表します。だから時計は右回りなんですね。左回りは逆に時間が充電される方向を表しています。私たちは、時間は消費するばかりのものだと思っていますが、そうではないということです。すべての事柄が必ず相反する対《つい》でできているのがこの世界の絶対の法則です。時間もその例外ではなく、消費するということは、その前提として溜《た》めるという段階がなければいけません。

これはまた、生命の誕生と死にかかわる絶対法則の象徴でもあります。

この世に生まれ出た生命は、生まれた瞬間に、死に向けてひたすらカウントダウンを始め、歳をとるということは、肉体が崩壊へと進むことを意味します。生命だけではなく、無機物も星も宇宙もすべて同じです。しかし、肉体が滅んでも、私たちの命がなくなってしまうわけではなく、死んだ瞬間にふたたび生命エネルギーを蓄えるプロセスに入り、いつかふたたび生まれ出るときを待つという輪廻転生が繰り返されていることになります。また「今」という一瞬が過ぎるのも、実はこの生死の相似象でもあるのです。

カタカムナウタヒの渦巻き模様はこれを象徴しており、左回りは生命エネルギーが満ちる方向で、ヤタノカガミはそれを表しています。そして、エネルギーが外側に放出された途端、つまり、現象化された途端、逆回転（右回り）を始め、生まれ出た生命エネルギーはひたすら消費されていく方向へと進むのです。

今私たちはウタヒを平面で見ているので、中心のヤタノカガミだけが逆回転しているように見えますが、平面図をグッと起こして3Dにしてみると、竜巻《たつまき》状に立ち上る渦の下に、まるで合わせ鏡のように逆回転するもうひとつの言霊渦がイメージできると思います。

2つの渦はそれぞれ逆向きに回転しているので、結節点である「十」のところでぎちぎちによじれている感じになっています。これが、カタカムナウタヒがわざわざ渦巻き状になっている意味だったのです。

後でわかったことですが、このように、逆回りの渦が上下に重なっている構造を、古神道などでは「創造の御柱」と言うそうです。すべての生命、事柄が、創造の御柱から誕生しています。

『古事記』に登場する、イザナギノミコトとイザナミノミコトによる国生みのシーンを思い出してください。海の上に誕生した陸地、オノコロ島に降り立ったイザナギノミコトとイザナミノミコトが、天の御柱の、周りをそれぞれ逆向きに回って出会ったところでお互

創造の御柱

いに言葉を交わし、神生みをし、この世のさまざまなものを生み出していくのです。

このエピソードが象徴するものこそ、創造の御柱が示す渦のエネルギーの流れによって言霊が放出され、現象世界に振動を伝えて現象を引き起こす２つの逆渦を表していたのです。

創造の御柱はすべての生命や物に宿っています。地球の中にも、宇宙の中にも、そして、私たち人間の中にもあります。

ですから、カタカムナを読み解くということは、自分の中にある創造の御柱を知るということになるのです。自分の中から湧き起こるこの振動の意味を知ると、自ずとその振動が起こす現象化についても明らかになるでしょう。

48声音符に秘められた思念があった

カタカムナとの最初の出会いは、発見者の楢崎皐月氏の口述を、後継者の宇野多美恵氏がまとめたと言われる『相似象学会誌』を読んだことでした。関連本も入れて、26冊もある全巻を購入し、読み始めたのですが、難しくてなかなか理解できません。とりあえずわらないときは、書いてみる……というのが私のモットーなので、1巻から9巻まで、楢崎氏がご存命中に宇野多美恵氏に伝えたとされるところまでを書き写してみました。また、その際、カタカムナ専門用語集を作り、語彙の理解に努めました。その努力のかいもあって、徐々に内容が理解できるようになってきました。

その結果としてわかったことは、『相似象学会誌』の中には、私が探し求めていた答えはなかった……ということでした。これはとてもショックな発見でした。

カタカムナのバイブルとも称される『相似象学会誌』の中に、答えがないのであれば、この世にカタカムナについて教えてくれるものはもう何もない……ということを意味しています。必ずカタカムナの中に真実の答えがあるはずだ……という確信は揺らがないのに、どうしてもこのままでは収まりがつかない。

私は考え抜いた末に、もう誰にも頼らず、一人で初めから自分自身で答えを見つけ出そう！ と決意したのです。そして、すべてのカタカムナ関連本を段ボールにしまってガムテープを張り、押し入れにしまいました。そしてノートを取り出すと、まずは、48文字の「ヒ」とは何か……と寝ても覚めても考え出したのです。この音が何を表しているのかを探るために、まず、「ヒ」がつく言葉をとにかく集めてずらりと並べました。光、火、日の本、日の丸など、思いつくかぎりすべて出しきったところで、「これらすべての言葉の中にある共通概念は何だろう？」と、自分で自分に問うてみます。そうすると、「根源から出る」という答えがパッと頭にひらめきました。

次に、とりかかったのは、「ク」です。「ク」のつく言葉としては、来る、管《くだ》、倉など、近寄ってくる、引いて手元にたぐり寄せるといったイメージが共通していることから、「引き寄る」という意味に仮定しました。

このようにして48声音符1文字1文字について、言葉の持つ意味を集約したひと言をあてはめていきました。

これは自分でも不思議な感覚で、頭をひねって考え出したという感じではなく、「ひらめく」のです。2カ月くらいで48声音符のすべての思念を発見し、使いやすいように一覧表にまとめました。

これが本章の終わりに掲載した「カタカムナ48音の思念（言霊）表」です。

キャビンアテンダントを退職したあと、主婦業の傍ら、語学力を生かして翻訳や通訳業を長くやっていたことも、ずいぶん思念の発見の助けになりました。古代語を現代語に翻訳する作業は、外国語を日本語に翻訳する作業と同じとは言えないまでも、いろいろ共通したものがあり、培ってきた経験が役に立ったのだと思います。

2012年にこの思念表を作ったときに、運用していく中で矛盾や齟齬《そご》が出てくれば改訂すればいいと思ってとりあえず暫定版としましたが、現在まで使い続けている中で、矛盾が発見されたことは一度もなく、様式は変えたものの内容はそのままのものを現在でも使っています。

あらためて、ひらめきとか直感というものは、本当に間違っていないのだと感じています。「直感に従え！　自分が答えを知っている」というのは真実だと思います。

そして、「思念表」を作ったときにたまたま振った通し番号、1〜48の数字が、実は、言霊ならぬ「数霊《かずたま》」として、極めて重要な意味を持っていることが最近わかりました。

さらに、表にする際、48文字を整理しやすいよう9列6段に組んだのですが、これも、実は大きな意味があったということが後日わかったのです。

こうしてみると、もう偶然では片づけられません。何もないところから出発して、たった2カ月間で思念表ができたのも、私が答えを導き出したというより、私の中の見えざる何かが私を導いてくれたようにしか思えません。

たまたま番号を振った、たまたま段組みにしたというのも同じで、私自身は、深い意味もなく、ただなんとなくおさまりがいいからそうしただけなのですが、それはきっと、自分でも気づかないうちに、そうなるように何かに仕向けられていたのだと思います。

八咫鏡の構造にトーラスの構造を発見

文字や言葉を思念で読むという方法を開発したことで、それまで謎だったカタカムナウタヒの内容が徐々にわかってきました。

ヤタノカガミを分解するとカタカムナウタヒ第5首の出だしが同じであることがわかったということはすでにお話ししましたが、これは非常に画期的な発見でした。これがきっかけで、創造の御柱の構造がわかっただけでなく、次元構造など、思念読みと合わせることで、すごくたくさんのことが同時にわかってきたのです。

極めて難解で複雑な話になるので、ここでは特に重要なことだけお伝えすると、ヤタノカガミの構造と、思念読みを組み合わせることで、この世界を包む無限のエネルギーの流れ「トーラス」の構造がカタカムナで表現されていることが見えたのです。

どういうことか、順を追って説明しましょう。

ヤタノカガミを分解すると、カタカムナウタヒ第5首の出だしと同じだと言いましたが、実はまったく一緒ではありません。

実際に第5首とヤタノカガミに浮かんだ言葉を比べてみましょう。第5首は全文だと長いので、前半だけですが、次のようになります。

第5首ウタヒ：　ヒフミヨイ　マワリテメクル　ムナヤコト
ヤタノカガミ：　ヒフミヨイ　　　　　　　　　ムナヤ

おわかりのように、第5首ウタヒの出だしとヤタノカガミを分解したときに現れる音は、まったく同じではありませんが、最初の5文字「ヒフミヨイ」はまったく同じで、途中7字を飛ばして、「ムナヤ」と続くことがわかります。

いったいなぜ、途中7字を飛ばすのか、その意味は、「マワリテメクル」を除いたほかの10字を声に出して読むとよくわかります。

すなわち、ヒー、フー、ミー、ヨー、イツ、ム、ナナ、ヤー、ココノツ、トオ、です。もうおわかりのように、1、2、3、4、5、6、7、8、9、10という数字を読み上げているのです。

後でまた説明しますが、カタカムナウタヒでは、1次元から10次元までのことが語られています。したがって、1〜10という数字に重要な意味があります。

すると、ここで気になったのが、ヤタノカガミの中に隠れているカタカムナ文字が本当に8文字だけなのかということです。絶対に10まで隠れているはずだと思って探してみたら、ちゃんと、「コ（9）」と「ト（10）」が隠れていました。

ただし、ヤタノカガミ（八咫鏡）はその名の通り八角形です。では、9と10はどこにあるでしょう。

よーく見るとわかります。ヤタノカガミの8番目のヤの次は、コと描きます。9＝コは「8＋1＝9（コ）」として表されているのです。しかし、この表現では「9」を単独でヤタノカガミの周りに描くことはできません。そしてコの思念は「転がり入る・転がり出る」です。ヤ＝8から転がりながら入っていく・出ていくとは、ヤタノカガミの外周の大円○が表しているのではないでしょうか。2次元の紙に書くと○ですが、これは球体（＝9〈コ〉）を表しています。そしてそれは球状面をぐるぐる回って中に入っていく渦と出ていく渦があるコトを示しています。そうして中央に到着すると、トは中心にありました。十《じゅう》と統合を生み出すのです。10になると古神道のやり方で、一

ヤタノカガミ図象を思念表と合わせてみると見えてくるもの

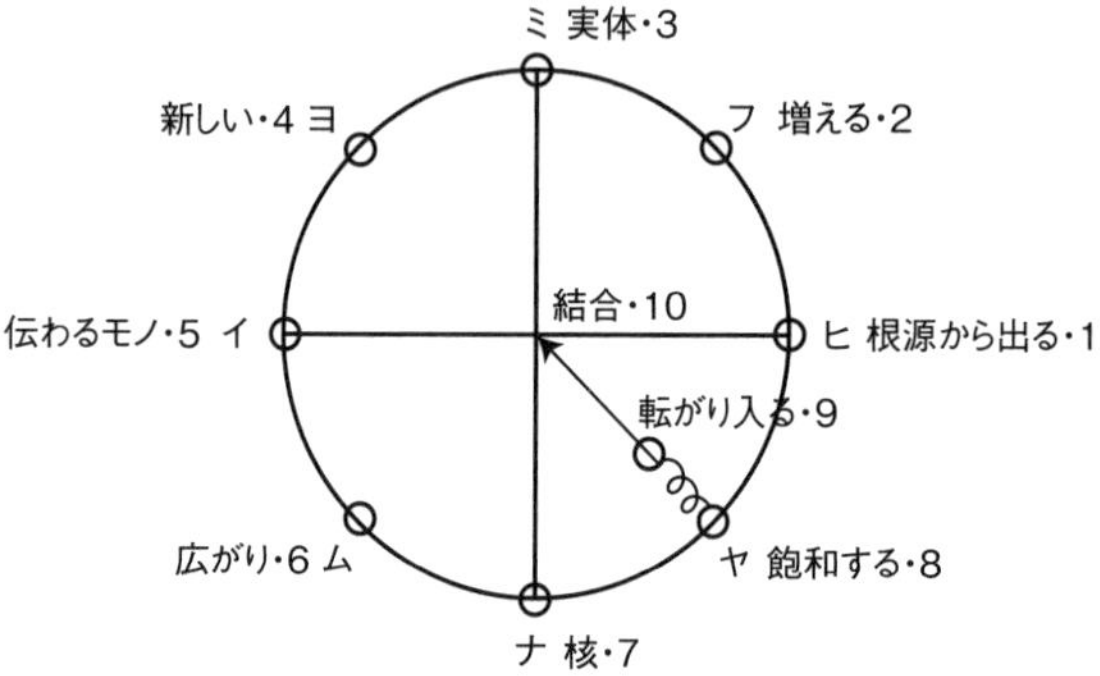

桁《けた》にします。つまり1+0=1となり、再び「ヒ=1」として根源から出るのです。これで、1〜10までがそろいました。しかし、10=1となっているので、ヤタノカガミの中には実質的には「9」が含まれていることになります。そうです。ヤタノカガミの八角形の中には「9」の次元、転がり入る・転がり出るという同時に巻き起こる2つの渦が秘められているのです。

しかし、ヤ（8）とヒ（1）の間にはコ（9）とト（10）が入らなければなりません。ヤタノカガミ図象では、実は「ヤ（8）」と「ヒ（1）」の間が途切れているのです。この点対称にあるヨ（4）・イ（5）の間にも、実は次元の壁があって、その壁をまたいでヨ＝陽とイ＝陰は中央で統合しています。そうしてみると、ヒ（1）とヤ（8）の間から、ヨ（4）とイ（5）の間には傾いた一直線の坂道があると考えられます。

この坂道が、『古事記』に出てくる「ヨモツヒラサカ」またの名を「イフヤサカ」と呼ばれるものです。それは思念で読み解くとわかります。これが、亡くなったイザナミのいる「あの世＝潜象界」とイザナギのいる「この世＝現象界」の境界線だということが、『古事記』のストーリーからもわかってきます。

ヨモツヒラサカ　：　陽（ヨ＝4）に漂い（モ）、集まり（ツ）、根源から出る（ヒ＝1）場（ラ）を遮る（サ）チカラ（カ）

イフヤサカ　：　陰（イ＝5）に増えて（フ）、8（ヤ）を遮る（サ）チカラ（カ）

黄泉《ヨモツ》比《ヒ》良《ラ》坂《サカ》が潜象界から見た次元の壁の名称であり、伊《イ》賦《フ》夜《ヤ》坂《サカ》が現象界から見た次元の壁を表していることが、思念読みからわかります。つまり『古事記』の「またの名」で表される名称は、視点を変えて表現しているのだということです。この発見が意味するものとは、何か。思念で読むことによって、それまで何について語られたものかわからなかったカタカムナウタヒがどうやら宇宙の構造を示しているらしいことがわかってきたということなのです。

この発見により、やはり、カタカムナウタヒには、宇宙の謎、この世の真実、生命の神秘をひもとく答えが書かれているのだと私は思います。

思念の読み方を会得すると直感力が高まる

カタカムナ文字が示す48声音符の1音1音が表すエネルギーは、果てしなく深い意味を秘めており、思念表に書かれているひと言では、とうてい言い表せるものではありません。ほかにも、最近発見した数霊や、あるいは、文字や漢字、アルファベットなどを使って総合的に読み解くことで、さらに深い本質、意味がわかりますが、本書では思念表で読み取る方法に絞って説明していきます。

思念表は、本来、カタカムナウタヒを読み解くために開発したものですが、言霊の本質そのものを読み解くことができるので、実は、現代の言葉にも応用可能です。

実際に私は、ウタヒだけではなく、いろいろな物や事柄を言葉から読み取ってみると、そのものずばりの本質を表すことができる事実を発見しました。「言葉が神である」という聖書の表現が正しいことを実感します。

では、思念表を使って言葉を読み解いていくことで、どんなことがわかるのでしょうか。詳しくは次章から説明しますが、ここでは、ウォームアップとして簡単な語句の読み解き方の実際をちょっと見てみましょう。

「はじめに」でも紹介した通り、思いが言葉をつくり、言葉にしたことが現実をつくっていくのです。

私たちが使っている言葉は、言ってみれば結果です。ゴールボールチームの宣誓文にある「ロンドンパラの聖火の前で、笑って友と　そこに立つ!!」というのは、「金メダルをとる」という結果を言葉で表現していることになります。心からそう唱えたことで、現象化しました。

これに対して、思念が表しているものは、その結果をつくる原因です。

すなわち、思念を理解することは、原因と結果の両方を知ることになります。つまり、物事の内側と外側のすべてを知ることになるのです。

たとえば、「勝つ」で見てみましょう。

言葉の意味をその通りとれば、「勝つ」という意味そのままですが、これを「カ」と「ツ」に分解して思念で読んでみると、「カ＝チカラ」、「ツ＝集める」となります。つまり、仲間の力をひとつに結集することで「勝つ」という結果が得られるという本質を表しているわけです。

同じように、いろいろな言葉を思念で読むことに慣れてくるともっと面白いことが起こります。

慣れないうちは、言葉を仮名に分解して、思念表といちいち突き合わせて初めて「ああ、こういうことか」とわかってくるのですが、だんだん慣れてきて思念表が頭に入ってくると、本質のイメージが映像でパッとひらめきはじめるのです。それが直感力です。

ひとつの現象を見て、つなげて考えると、本質的なことを瞬時に見抜く力になります。

したがって、言霊を読み解く力がつくと、直感力がぐんぐん上がってくるのを感じます。

私も研究を始めたばかりのころは、わからないことに突き当たると、1週間、ときには1カ月もかかって悩むことが多くありました。いくら考えても答えは出ません。ところが、答えが出なくてあきらめかけたとき、ふと「あっ」という感じで答えが突然ひらめいて、「わかった」となるのです。

無理に考えても答えは出ません。問題意識を持ち続けながらひらめきが降りてくるのを待つしかないのです。

最近では、比較的短時間で答えがわかるようになりました。直感力が冴えてくるんですね。

この本を読んでいるみなさんにも、これから説明する「思念を読み解く方法」を習得し、練習を重ねることによって、言霊のエキスパートになっていただきたいと思っています。

多くの人が覚醒し直感力を高めることができたら、やがては言葉のいらない世界が出現するかもしれませんね。あなたの思いが私の思いと同じように理解できる人たちがつくる世界は、きっと愛に溢《あふ》れた世界でしょう！

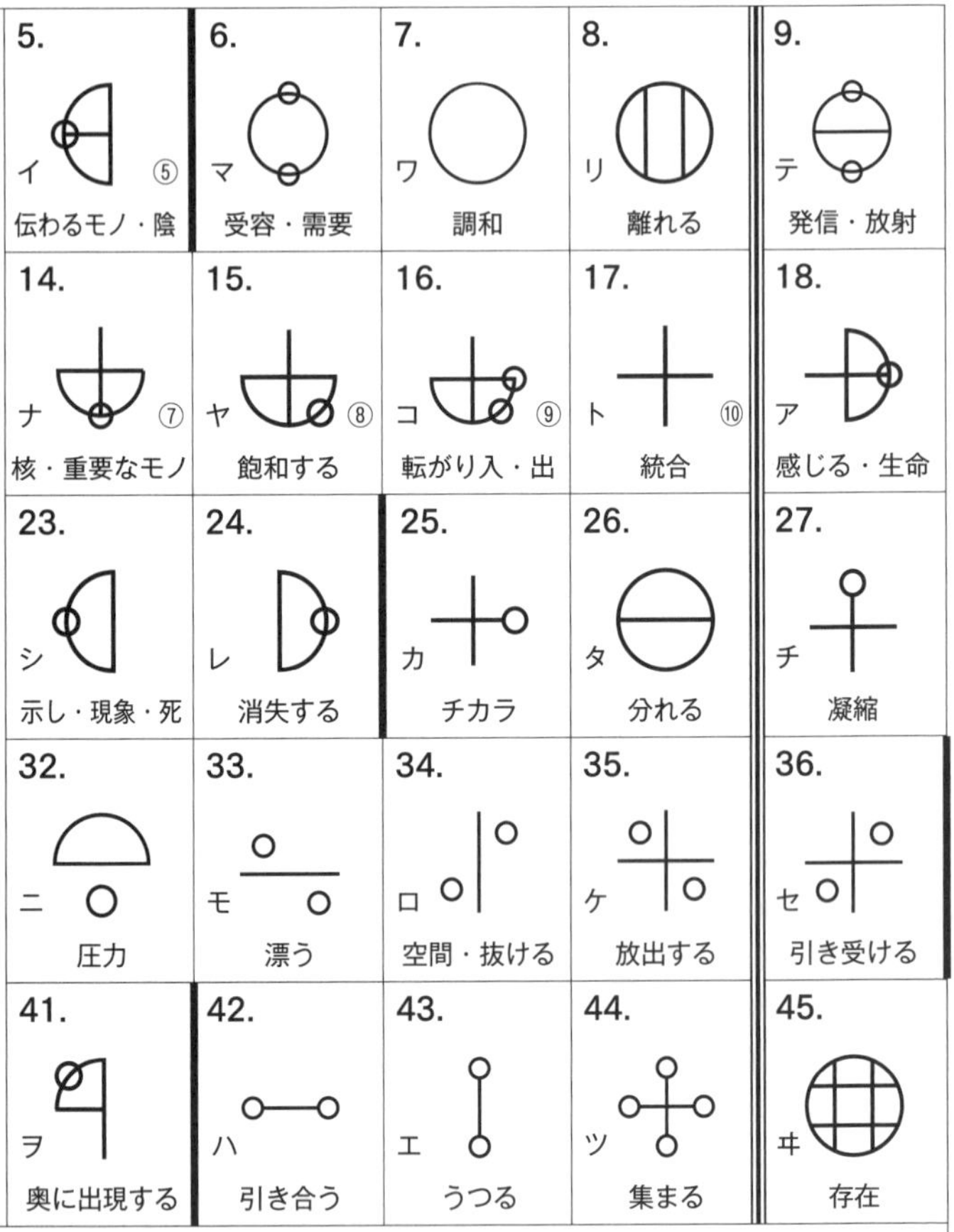

5. イ ⑤ 伝わるモノ・陰	6. マ 受容・需要	7. ワ 調和	8. リ 離れる	9. テ 発信・放射
14. ナ ⑦ 核・重要なモノ	15. ヤ ⑧ 飽和する	16. コ ⑨ 転がり入・出	17. ト ⑩ 統合	18. ア 感じる・生命
23. シ 示し・現象・死	24. レ 消失する	25. カ チカラ	26. タ 分れる	27. チ 凝縮
32. ニ 圧力	33. モ 漂う	34. ロ 空間・抜ける	35. ケ 放出する	36. セ 引き受ける
41. ヲ 奥に出現する	42. ハ 引き合う	43. エ うつる	44. ツ 集まる	45. ヰ 存在

1 2 3 4 5　6 7 8 9 10 11 12　13 14 15 16 17　18 19 20 21 22 23 24　25 26 27 28 29
ヒフミヨイ　マワリテメクル　ムナヤコト　アウノスベシレ　カタチサキ

30 31 32 33 34 35 36　37 38 39 40 41　42 43 44 45 46 47 48
ソラニモロケセ　ユヱヌオヲ　ハエツヰネホン　**カタカムナ**

→　これら48音の響きが、物質・生命体**カタ**の、
その見えないチカラの広がり**カム**の、核**ナ**から出ています。

（注）　①〜⑩までは、１次元から10次元まで表しています。
短い太いたて線は５字７字のウタの切れ目を表しています。
長い３重線は数霊に関連した線です（この本では説明を省略しています）。

カタカムナ48音の思念（言霊）表

1.  ヒ ① 根源から出・入	2.  フ ② 増える・負	3.  ミ ③ 実体・光	4.  ヨ ④ 新しい・陽
10.  メ 指向・思考・芽	11.  ク 引き寄る	12.  ル 留まる・止まる	13.  ム ⑥ 広がり
19.  ウ 生まれ出る	20. 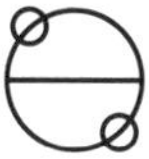 ノ 時間をかける	21.  ス 一方へ進む	22.  ヘ 縁・外側
28.  サ 遮り・差	29.  キ エネルギー・気	30.  ソ 外れる	31.  ラ 場
37.  ユ 湧き出る	38.  エ 届く	39. 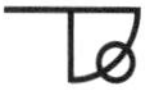 ヌ 突き抜く・貫く	40.  オ 奥深く
46.  ネ 充電・充たす	47. 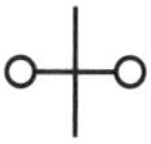 ホ 引き離す	48.  ン 掛る音を強める	

ナ	タ	サ	カ	ア
核 重要なモノ ７次元	分かれる	遮り 差	チカラ	感じる 生命
ニ	チ	シ	キ	イ
圧力	凝縮	示し・現象 死	エネルギー 気	伝わるモノ 陰 ５次元
ヌ	ツ	ス	ク	ウ
突き抜く 貫く	集まる	一方方向に 進む	引き寄る	生まれ出る
ネ	テ	セ	ケ	エ
充電する 充たす	発信 放射	引き受ける	放出する	移る・写る・ 映る
ノ	ト	ソ	コ	オ
時間を かける	統合 10次元	外れる	転がり入る 転がり出る ９次元	奥深く
カ　タ　カ　ム　ナ				
チカラが分かれたモノ（物質・生命体）と、 そのチカラの広がりの核である				

カタカムナ48音の思念表（アイウエオ順）

ワ	ラ	ヤ	マ	ハ
調和	場	飽和する 8次元	受容 需要	引き合う
ヰ	リ		ミ	ヒ
存在	離れる		実体 光 3次元	根源から 出(入) 1次元
	ル	ユ	ム	フ
	留まる 止まる	湧き出る	広がり 6次元	増える 負 2次元
ヱ	レ		メ	ヘ
届く	消失する		指向 思考・芽	縁 外側
ヲ	ロ	ヨ	モ	ホ
奥に 出現する	空間 抜ける	新しい 陽 4次元	漂う	引き離す
ン				
掛る音の 意味を 強める				

第2章

言霊に宿る思念を読む

思念読みの基本は頭から順番に

ここからは、いよいよ思念表を使った言葉の読み解き方を見ていきましょう。

最初に言っておきますと、48声音符が表す「言霊」は、1音1音が深い意味を秘めており、思念表に書かれているひと言では、とうてい言い表せるものではありません。

これまでにも、「カタカムナ48音の思念」の本は出版されているのですが、ひとつの声音に対したくさんの意味が含まれており、実際に思念を使って言葉を読み解こうとすると、どれを使っていいのか迷ってしまいます。誰もが思念を使って言葉を読み解けるようになるには、やはり、1声音につき、ひと言かふた言の単語で表現できなければ、実用化は難しいのです。

また、本来は、数霊の概念を併せて理解していただくと、もっと深い読み解き方ができるのですが、この本はカタカムナの深い世界の入口を体験していただくことを目的としていますので、あえて数霊には触れません。

ここではあくまで、「思念読みで読み解くとこうなる」、という考え方のひとつとして捉《とら》え、不思議な符合に興味を持っていただくのがいいかと思います。

さて、それを踏まえた上で、「思念読み」の大前提について、お話ししましょう。

基本的なやり方は簡単で、まず、読みたい単語や文章をカタカナに直し、1字1字に思念表に書かれたひと言をあてはめ、並べていきます。

たとえば、「有難う」という言葉を読み解いてみましょう。

最初のステップは漢字や平仮名をすべてカタカナに直すことです。

アリガトウ

次に、1字1字に思念表に書いてあるひと言をあてはめていきます。

ア＝感じる・生命
リ＝離れる
ガ＝内なるチカラ（「カ」の濁音は〝内なる〟をつける）

ト＝統合

ウ＝生まれ出る

1字1字に対応する思念を抜き出したら、それを順に並べてみます。

このとき大事なことは、絶対に順番を変えてはいけないということです。順番を変えると違う言葉となり、意味が違ってしまうからです。

最後に、思念と思念を最小限の〝てにをは〟でつなぎ、意味が通るように最小限の言葉を付け加えてナチュラルな文章になるようにします。

このときのコツは、状況をイメージしながら言葉が自然につながるように文章を作っていくことです。先入観や思い込みを捨てて、自分の直感に従うことです。また言葉を足しすぎるのも違う意味が加わってしまうので、付け加える言葉は最小限にとどめ、水が流れるような自然な文章になるように何度も推敲《すいこう》しましょう。

ためしに、「アリガトウ」を読み解いてみると、次のようになります。

感じる離れた内なる力との統合が生まれ出る

まず「ありがとう」を言うときの状況を頭に描きます。そこには「私」と「相手」がいます。「感じる離れた（内なる）力」とは、「相手の心」という意味ですね。その心と自分の心との統合が生まれ出る。つまり相手の気持ちと同じ気持ちになってみて出る言葉が、「ありがとう」という意味になります。人の真心を感じたときに出る言葉ですね。

「ありがとう」の言葉は最高に相手を受け入れる言葉です。

だから言うほうも言われたほうも、すっと心が安定し、穏やかな気分になりますね。不思議な力を持った言葉です。

同じ音が続くときは、現象が繰り返すことを表す

ここからは、思念読みのさらに具体的なケースを見ていきましょう。

「心（ココロ）」「鏡（カガミ）」「轟き（トドロキ）」「潜る（クグル）」など、同じ音が連続する言葉がありますよね。

思念読みでは、同じ音である以上、同じ意味になります。濁点がついても基本的には同

じです（濁点についての解説は非常に重要なので別の章で詳しく解説しています）。

とはいえ、ただ同じ思念を繰り返すだけではなく、同じ音が続くときは、その現象が次々と連続して起こること、あるいは反射、反復して起こることを示しているのです。

たとえば、「心（ココロ）」を思念表で読み取ってみましょう。

コ＝転がり入る・転がり出る
ロ＝空間

つなげると**「転がり入る（転がり出る）空間」**になります。
心というのは何かがいっぱいに詰まっていそうで、実際には空間であり、外部の刺激に対して感情が動き、次々と転がり入ってくる、あるいは、転がり出て感情を発露するところです。そして、この場合、「コ」が重なっているわけですから、これが連続して起こることを表しています。すなわち、心とは、常に感情がコロコロと転がり入ったり出たりすることが連続して起こっている空間なのです。

次に「鏡（カガミ）」を読んでみましょう。

カ＝チカラ
ミ＝実体

「カガミ」とは、鏡の「力」と、それを見ている私の「ガ（内なる力）」がお互いに反射しあって像を写す「実体（ミ）」となります。鏡は光を反射して、鏡の外の世界を写し出していますす。こちらが動くと鏡の中の自分も動きますよね。これはずうっと光をやり取りしているからです。それが、写すものと写されるものの間で続く実体。それを「カガミ」というのですね。

「轟き（トドロキ）」は、トは「統合」、ロは「空間」、キは「エネルギー・気」ですから、あちこちに「統合を繰り返している空間のエネルギー」という意味です。たとえば、「名声が轟く」ということは、あっちで名前が知れ渡って評価が上がって、こっちでも評価が上がってというようにあちこちで盛り上がってその人の名声が満ちるということを表しています。

では「潜る（クグル）」はどうでしょう。

クは「引き寄る」、ルは「留まる・止まる」です。たとえば、天井の低いところを潜るときはどうしますか？　天井に頭が当たらないように、お腹のほうにぐっと「引き寄り」ますよね。ちょっと油断すれば、天井のほうも引き寄ってきます。潜り抜けるまで「引き寄る」その姿勢を保ちます。つまり、天井と自分の頭が引き寄った状態で、「留まって」、あるいは「止まって」前に進むわけですね。

このように、連続して起こる現象は、音を重ねて表現されますが、ココロのように清音が続く場合は、現象が1カ所で起こっている場合で、重なる音が濁音になる場合は、2か所以上で反復されている場合です。

「ン」の字は、掛る音を強める

「元気（ゲンキ）」や「呑気（ノンキ）」などの「ン」は実は大きな意味を持っていますが、

単独では声として発音できません。その役割は、前の音の思念エネルギーを高めることです。

思念読みをするときに重要なルールのひとつに、語順を変えてはいけないということがありました。ただし、「ン」だけは例外で、読み解く際に、掛る音を間違えなければ、その言葉の前につけて修飾しても後につけて強める意味を出してもかまいません。

以上を踏まえて、**「ゲンキ」**を思念で読み取ってみましょう。まずは濁音を無視して、「ゲ」はまず「ケ」と読みます。「ケ」の思念は「放出する」です。「キ」はすでに出ましたね。「エネルギー・気」のことです。

つなげて読めば**「放出する・強い・エネルギー」**となります。しかしこれでは「ン」が示す「強い」はエネルギーに掛ってしまいます。本来は「ゲ」を修飾しているはずですね。なので「ン」の意味を前につけて**「強く放出するエネルギー」**としなければ間違いです。

さらに子細に見ていくと、もっと深い意味がわかります。

繰り返しになりますが、濁音がつく場合でも、基本的に音の意味は同じです。ただし、エネルギーの方向が変わります。詳しくは後の章で説明しますが、濁らない「ケ」の場合は外側に放出するエネルギーを意味し、濁って「ゲ」になると内側に放出するエネルギーを意味します。したがって、「ゲンキ」をより正確に読むと「内側に強く放出するエネルギー」となるのです。体の中にエネルギーが満ち溢れている様子がよくわかります。

次に、**「ノンキ」**はどうでしょう。

「ノ」の思念は「時間をかける」、です。もう、これだけで「呑気とは時間をかけることだ」とわかりますよね。

でも、もう少し正確に読み取ってみましょう。「キ」は先ほども出ました、「エネルギー・気」ですね。「ン」は「ノ」に掛って、「時間をかける」という思念を強めています。したがって、「ノンキ」の思念は、**「時間がかかりすぎるエネルギー」**といった具合になります。今度は掛る音の後ろについて修飾していますね。

呑気とはどういう状態でしょう。時間をかけても気にならないエネルギーを持った人の状態だとも言えるでしょう。ピッタリですね。

小さい「ッ、ャ、ュ、ョ、ァ、ィ、ゥ、ェ、ォ」は、意図しない自然現象を表す

小さい「ッ」、あるいは、小さい「ャュョ」「ァィゥェォ」も、「ン」同様、単音では発音できません。「カット、パット」や「キャ、キュ、キョ」「ファ、フィ、フェ、フォ」「トゥ」のように、必ずひとつ前の音につきます。

ちなみに、小さい「ッ」は促音《そくおん》、もしくは〝つまる音〟と言い、「ャュョ」は拗音《ようおん》と言います。「ァィゥェォ」はもともと日本語にはありませんでしたが、外来語を日本語に訳す際に使われるようになった、比較的に新しい日本語です。これも、「ャュョ」同様、拗音と言います。

同じように単音では発音できない「ン」と違うのは、促音や拗音には、それぞれ意味があるということです。基本的には、大きい音「ツ・ヤ・ユ・ヨ・ア・イ・ウ・エ・オ」と同じ思念になりますが、小さくなると、意図的ではない自然現象を表す意味に変わります。

たとえば、「ツ」の思念は「集まる」です。集まるのは人間の意思で集まる場合と、意思とは無関係に、自然現象で集まってしまう場合があるわけです。それほど大きく意味が

異なるわけではないものの、正確に読み取ろうとすると、こだわりたいポイントです。

具体例を挙げて説明しましょう。

「器用（キヨウ）」と**「今日（キョウ）」**は、「よ」が小さい「ョ」か、普通の「ヨ」かの違いですが、これだけで意味がちょっと違ってきます。

まず「器用（キヨウ）」から見てみましょう。「キ」はここまでの説明で何度か出ている通り、「エネルギー・気」ですね。「ヨ」は「新しい・陽」、「ウ」は「生まれ出る」です。つなげると**「エネルギーが新しく生まれ出ること」**になります。「器用」とはどういう意味ですか？「手先が器用」などというときの器用ですね。つまり、何でも作ってしまうから器用なんです。そして、このときの「新しく生まれ出る」のは、人間の意思が働いているわけです。

ちなみに、同音異義語の「起用」でも、同じ意味が通じることがわかると思います。これが、思念読みの面白いところですね。

これを踏まえて、「ョ」の音が小さいだけの「今日（キョウ）」になるとどう変わるでしょうか。基本的に「キ」も「ヨ」も「ウ」も意味は同じです。ただし、「ヨ」だけは意図的ではない自然現象の意味になります。

つなげると**「エネルギーが新しく（自然に）生まれ出る」**になります。今日というのは今日一日だけですから、毎日、太陽が昇って今日という一日が新たに誕生し続けるわけです。そしてこれは、人間の意思とは関係なく、時間がたつと自然と生まれ出てくるものです。

別な例を出しましょう。

「規約（キヤク）」と**「客（キャク）」**はどうでしょうか。

「キ」は「エネルギー・気」、「ヤ」は「飽和する」、「ク」は「引き寄る」です。つなげると、**「エネルギーの飽和が引き寄ること」**になります。

これは、ちょっと解釈が必要でしょう。

「エネルギーの飽和」とは、「満たされた状態」のことで、満たされた状態へと自分が「引き寄る」とは、これぞ、すなわち「規約」のことです。そして、満たされた状態へと自分が引き寄っているわけですから、そこには人間の意思が働いています。

これを踏まえて「客（キャク）」を読んでみましょう。

同じように思念をあてはめていくと、**「エネルギーが（自然に）飽和して引き寄る」**になります。お客さんというのは、「ああ、あれが買いたいな」という気持ち、買いたい衝動が満ちる、あるいは、ストックしていたものが底をつくなどして、買うべき状況が満たされるからお店に買いに来るわけです。この場合、買い物に行くのは自分の意思ですが、「客」というのは、お店側から見た立場を言っているわけです。お店側の視点で見れば、「客」は自分の意図とは無関係に来るものなのです。

もうひとつ、**「理由（リユウ）」**と**「流（リュウ）」**を読んでみましょう。

「リ」は「離れる」、「ユ」は「湧き出す」、「ウ」はさっきも出ました「生まれ出る」ですね。それぞれあてはめると次のようになります。

理由＝離れて、湧き出し、生まれ出る

流＝離れたものから、（自然に）湧き出し、生まれ出る

理由というのは、私たちは実際に物事が起こっているときには考えません。理由はやる前や、やった後から考え出すものなのです。なので「離れて、湧き出し、生まれ出るもの」となるわけです。理由を考え出そうとすると自分の意思が働きますね。

では流とはなんでしょうか。「流れ」とも言いますが、川の流れなどを思い浮かべるとわかるように、水などがある程度の距離が離れている場合、自然の高低差によって流れ出すものです。言うまでもなく、これはもちろん自然現象です。

そして、音は同じで字が違う「龍」や「柳」も同じように解釈できます。

龍とはエネルギーの動きを表していると考えられます。たとえば、プラスの場とマイナスの場が、離れて存在しているときに、その離れた場をつなぐために湧き出し生まれ出るものが、龍ではないかと思います。エネルギーが密な場から疎な場へと湧き出す場合も同じです。

柳は「やなぎ」とも読みますが、なぜ「リュウ」と読むのでしょう。柳というのは非常にしなやかな性質があります。しなやかさというのは、ある程度の長さがないと生まれません。したがって、枝が幹から分かれてどんどん伸びてすごく離れて、細く長い長い枝になることで、初めてしなやかさが生まれるのです。

このように拗音になると、元の音と同じ思念で読み解けますが、微妙な違いが生じます。

もう少し例を出しましょう。

「フォーク」は、**「増えたものが、自然に奥深くに、引き寄る」**になります。

フォークは先端が3〜4つに分かれています。先端が分かれているものが奥深くに引き寄ると、自然にひとつになって持ち手になりますね。イメージしながら読み解くと納得できます。

破裂音「パピプペポ」は勢いを表す

半濁音とも言われる「破裂音」、つまり、「パピプペポ」は、濁音と違ってハ行だけに存在し、50音の中でもちょっと変わった音です。

勢いのある飛び抜けた状態、あるいは、瞬間的な力を指します。

発音すると、音そのものが勢いよく飛び出していく感じがなんとなくわかるのではないでしょうか。

葉っぱ、発破、突っ張り、など、思念を読むまでもなく、みんな勢いよく飛び出していくものばかりですよね。

では実際に思念を読むときにはどのように読めるでしょうか。

たとえば、**「立派（リッパ）」**。

「リ」は「離れる」、「ツ」は「集まる」、「ハ」は「引き合う」です。つなげると**「離れたものが（自然に）集まり、（勢いよく）引き合う」**になります。

離れたものが自然と集まり……とは、複数の人間などが、自然に集まっている状況のことです。その中で、パッと引き合うものとは、特に目を引く秀でたもののことですね。まさに立派ですよね。このとき、小さい「ッ」は拗音と同じく意図しない自然現象を表します。したがって、自分の意志で富や名声を集めている間はまだまだ立派じゃないのでしょう。向こうから自然に集まってくる人徳が備わってこそ、「立派」なのです。

もうひとつ、例を出しましょう。

外来語の**「トップ」**になると、どういう読み方ができるでしょうか。

「トップ」は、**「ト＝統合」が**、**「ツ＝集まって」**、**「フ＝増える（負）」**ものです。たとえば、「組織のトップ」の場合、部下や民衆を統合し、人心が自然に集まって、勢いよく世に出て、影響力を増す人です。あるいは、山の頂上のような尖《とが》った場所を言う場合も、礫《れき》などが統合して自然に集まり嵩《かさ》が増えているところ、と読めるわけです。人の先頭に立つトップ、頂上や先端などのトップ、どちらも勢いがありますね。

音引き「ー」は比較的短い時間経過を表す

伸ばす音「ー」、いわゆる音引きは、比較的短い時間の経過を表します。

たとえば**「ボール」**だと、野球ボールでもサッカーボールでも、投げる、蹴る、打つにしても、ポーンと放たれると、いつかは時間の経過によって止まります。放たれてから止まるまでの時間は、比較的に短いはずです。ほぼ一瞬と言っていいでしょう。

思念読みをしてみると、**「ホ＝引き離す」「ル＝止まる」**と、もう、そのままです。足、グローブ、ラケットから引き離されて、ほどなく止まるもの、それがボールです。

別の例を出しましょう。

「プール」はどうでしょう。**「フ」**は**「増える」**、そして破裂音なので勢いがあります。**「ル」**は**「留まる・止まる」**です。

勢いよく増える、留まる？　何のことでしょう。

水泳のプールのこともプールと言いますが、本来の意味は「水溜まり」です。雨が降って、瞬間的に窪地《くぼち》に水が溜まってできるのが水溜まりですよね。時間的にはごく短時間、瞬間的にできる水が溜まることによって、プールができるわけです。

「ゴール」、これも思念読みすると面白いですね。

「コ」は**「転がり入る（出る）」**、**「ル」**は**「留まる・止まる」**です。まさに、コロコロとボールなどが転がり入り、止まる・留まるところで、その動きは一瞬です。サッカーのゴール、バスケットのゴール、などはもう説明の必要もないでしょう。では、マラソンのゴールはどうでしょう。選手が転がり入るところですよね。

「アース」、この言葉も意味深いですね。地球のことですが、**「ア」は「感じる・生命」**の2つの意味がありますが、地球も生命体ですので、この場合は、「生命」の意味にとっていいでしょう。**「ス」は「一方方向に進む」**です。「一方方向に進む」とはどういう意味でしょうか。もうおわかりですね。自転、公転のことです。すなわち、アースとは、生命体がずっと一方方向に自転・公転しているものということになります。

似通った思念の意味の違い

思念表の中には、似たような意味にとれる思念が複数あります。それぞれに違う意味なので、使い分けをしっかりしないと、まったく違う読み解き方になってしまいます。しっかりと要点を押さえておきましょう。

・タ「分かれる」、ホ「引き離す」、リ「離れる」

「タ＝分かれる」は、接合しながら分かれていることを言います。ひとつのものに区切りが入って分割されるようなイメージです。たとえば、細胞分裂のようなものです。となりどうしにいながら違うものといった感じです。

「滝（タキ）」は、「分かれるエネルギー」と読めます。平地を流れていた川が、断層などで、急に激流となり落下します。これは、川はつながっているのですが、エネルギーの強さが分かれているところです。

これに対して「ホ＝引き離す」は、完全に離れてお互いの間に空間ができた状態です。

この点で、「リ＝離れる」も、空間ができた状態を指しますが、違うのは、「リ」とは、母体があってそこから何かが分離していくイメージです。

「お堀（ホリ）」は、「奥深くから引き離れたものを離すもの」と読め、お城と外の世界を引き離し、分離するためのものです。

「臨死（リンシ）」と言えば、死に臨み、肉体から魂が分離することを強く示す状態なわけです。

・ハ「引き合う」、ク「引き寄る」

「ハ＝引き合う」は、AとBが互いに引き合う状態で、どこかに中心点があってそこに双方が近づき合っていく状態です。またそれは同時に反対側に引き合う意味も含んでいます。「箸（ハシ）」はどう使いますか？　2本の箸を引き合って使いますね。そして次に反対側にも引き合います。綱引きなども自分たちの引き寄るチカラに対して、外に引き合うゲームだと言えます。

これに対して「ク＝引き寄る」は、AがBへと主体的に向かっていくことを指します。「倉（クラ）」は、「引き寄る場」と読め、場へとものが引き寄ってくるイメージが浮かびます。場は動かずに家財や人から引き寄っていくところです。

・ケ「放出する」、テ「発信・放射」

「ケ＝放出する」は、何かが出ていって容れ物が空になっていく状態です。

たとえば、「喧嘩（ケンカ）」は、大きく放出するチカラ、と読めます。怒りの力を大きく発散している状態です。

これに対して「テ＝発信・放射」は、出ていくものに情報があり、出ていくことによって何かを動かす、教えるなど、目的がある状態を指します。また、「放出」の場合は出ていくばかりですが、発信・放射の場合は必ず戻ってくる、循環するものであるという点で違いがあります。

喧嘩の相手、つまり、「敵（テキ）」で考えてみると、「テ＝発信・放射する」「キ＝エネルギー」ですから、相手に敵意というエネルギーを向けている状態です。でも、相手からすれば自分が敵ですから、自分も敵意を向けられているわけです。

・チ「凝縮」、ツ「集まる」

「ツ＝集まる」は、単に集まり積もっていくという意味ですが、「チ＝凝縮」は、エネルギーが集まってさらに小さくなり、ギューッと濃縮した状態です。たとえば、「積もる

（ツモル）」のは、集まって漂い留まるもので、雪にしても借金にしても量がどんどん増えるだけですけど、「土（ツチ）」になると、砂粒が集まって踏み固まったものですね。また、「乳（チチ）」、「血（チ）」はさまざまなものが凝縮されている液体です。

複数の思念のどれを選ぶか

思念表は、ひとつの音に対してひとつの言葉のみで表せないものがあります。

たとえば、「シ」。主たる思念は「示し」ですが、ほかに「現象」「死」という2つの思念があり、全部で3つの思念があります。

シ以外にも2つの思念があるものもあれば、ひとつしかないものもあります。本来、思念はひとつではありません。3つの思念がある「シ」にしても、本当は3つだけではなく、詳しく検証していけばさらにもっとあります。

けれど、たくさん思念があると、読み解き方が複雑になるだけでなく、結果的に、読み解いた思念が正確なのかどうか、よくわからなくなります。

そこで、たくさんある思念の中で包括的な概念に光を当て、可能な限りシンプルな言葉に集約したのが思念表であり、どうしてもひとつに絞り切れなかったものだけ複数の思念になっています。

ともあれ、複数の思念があっても、基本的には同じような意味を持っています。

シにしても、「示し」というのはこの世に示されることであり、つまり、現象化することです。そして、同時に、示されることとは死んでしまうことも表します。

なぜかというと、この世に示されるということは、必ず死ぬという運命を持っているからです。死のないものがあるとするなら、それはこの世に存在しているとは言えません。存在しているもの、現象化しているものは、いずれ必ず朽ち果てるのです。それが、この宇宙の変わらぬ真理、絶対に曲げられない法則です。

ですから、「示し」とは現象であり、そして死なのです。

ついでに言うと、だからこそ、死を恐れる必要はないとも言えます。

実際、死の恐怖を克服することが、カタカムナの大きなテーマになっています。

生命体は、この世に生まれ出るときは、肉体という衣をまとって出てきます。そして一生を終えて、生の時間を使い切った重い肉体は脱いで、ふたたびエネルギーを蓄える大いなる眠りの段階に入るわけです。

この世はすべて相似象であり、永遠に誕生と消滅を繰り返していて、それは、今、今……と過ぎ去る時の流れから、寝て起きる毎日、一生の生まれて死ぬというサイクルまで、もっと言うと、地球のサイクル、銀河のサイクル、宇宙のサイクルまで、すべてが本質的には同じ原理の相似象で成り立っていると考えられます。

いつかは誰も死にますが、永遠の生命を支配する運命に変化を起こせるチャンスは、生きているときだけなのです。永遠の生命を知り、確信して生きるということは、次の生を夢見ながら、今世を全力で生ききる大きな糧《かて》となることでしょう。

話を元に戻しましょう。

複数の思念があるときは、どうすればいいかです。結論から言うと、どれを選んでもかまいません。基本的には同じような意味になるはずです。いろいろ試してつなげ、文章にしたときに、感覚的にもっともなじむものを選べばいい、ということになります。

たとえば、「ネ」の思念には、「充電する」と「充たす」の2つがあります。

「熱（ネツ）」ならどうなるでしょう。**「充電して集まる・充電するものが集まる」**、**「充《み》ちて集まる・満ちるものが集まる」**といった2通りの読み方がありそうです。携帯電話のバッテリーも充電して電気が集まると熱くなりますよね。あるいは、狭い部屋にたくさんの人が集まったら、やはり熱くなりますよね。

こんなふうに、いろいろ探りながらやってみてください。

「どっちの思念が正しいか」ということより、自分の感覚、直感に従い、多くの思念読みに挑戦する中で、真実を見る目が徐々に鍛えられていくようです。

2通りの音がある言葉の読み取り方

2通りの読み方がある文字があります。

たとえば、地名の「十日町」。平仮名で書くと、昔は「とうかまち」と書いたのに、最近では「とおかまち」と表記することが多くなっているそうです。また、「東京」も、正しくは「トウキョウ」なのですが、「トオキョウ」と発音する人が少なくありません。

言葉というのは時代によって、あるいは、立場によって変化します。

その場合、正式な読み方を気にする必要はありません。今、一般的に多く使われている

音を採用します。なぜなら、言霊のエネルギーと現実は影響し合っているので、読み方が変わるということは、現実のほうの本質も変化した結果なのです。

例を出しましょう。

「重複」という漢字はなんと読みますか？　「チョウフク」、それとも、「ジュウフク」でしょうか？

どちらも正解です。

もともとは、「チョウフク」と読んでいたのですが、「ジュウフク」という誤用があまりにも多くて一般化したので、今では「ジュウフク」でも正しいことになったのです。

人々が口にすると、それが正しいことになる。一部の人が言い間違えているだけではだめで、ただ単に発音が悪いだけではだめです。広まらないと意味がありません。しかし、たとえ最初は言い間違いでも、それが大勢を占めると世の中の側が変わるのです。

試みに、チョウフクとジュウフクで思念がどう変わるのか、読んでみましょう。

チョウフク＝凝縮が新しく生まれ出で、増えて引き寄ったもの。
ジュウフク＝内なる示しが湧き出し生まれ出て、増えて引き寄ったもの。

チョウフクにしても、ジュウフクにしても、ひとつでは重複とは言わないので、2つ以上のものが必要です。2つ以上のものが合わさることによって、「生まれ出て、増えて引き寄る」ことが重複です。

なんとなく同じような意味になることがわかるでしょう。ただ、少しニュアンスが違いますね。

チョウフクの場合は、「凝縮が新しく」というのは、別々だった2つ以上のものが合わさることによって「自然と凝縮して生まれ出る増えたほう」と言っています。つまり新しく重なったほうに視点を置いているのに対し、ジュウフクの場合は「内なる示しが湧き出る」ですから、「最初からあったものに」増えたものが内側にプラスされたことで、変化が生じたのです。元々あったものの視点から表現しているのです。つまり、視点の違いです。

これが思念読みの面白いところで、異なる読み方があっても、それぞれ矛盾なく表現されます。どちらも不思議と同じような意味に収れんしていくのです。

もうひとつ、面白い例を出しましょう。

「荷役」です。どう読むでしょうか。正解は「ニヤク」です。でも、「ニエキ」と読む人が増えています。

この違いは、時代ではなく、使う人の立場によるようです。

荷役というのは、ご存知の通り、荷物を運搬する作業のこと、または、その作業をする人のことを言います。本来の読みの**「ニヤク」**は、「作業をする人たち自身が使う」ことが多いようです。

その場合の思念は、**「圧力」「飽和する」「引き寄る」**になります。圧力がいっぱい背中に引き寄った荷物を背負った人をイメージさせますね。

これに対して、**「ニエキ」**というのは、作業をする人を雇う側の立場の人が使うことが多いようです。

すると、その場合の思念は、**「圧力」「うつる（移る・写る・映る）」「エネルギー・気」**です。「圧力」を「うつす」「エネルギー」とはどういうことかというと、「荷物を上げ下ろしするときのエネルギー」つまり作業そのものを言っています。故に、「ニエキ」とは、「荷物の上げ下ろしの作業」そのものを的確に言い表していることがわかります。

方言の読み解き方

同じ言葉、あるいは、同じ事柄であっても、読み方によって思念が変わってしまうなら、方言はどうなるのでしょうか。

方言というのは土地に根付いた言葉であり、標準語を知っていても、ほとんどのみなさんが口にするのは方言ですよね。方言は飾らない、自分の心のままの言葉ですから、極めて直接的に、そして強く意思が伝わります。

したがって、普段、方言でしゃべっている事柄なら、そのまま方言の音の通りに読み解くと、より直接的に感じが伝わります。

実際に、方言による違いを比べてみるとどうなるでしょう。

たとえば、標準語の「捨てる（ステル）」を、関西では「ほかす」と言います。

まず、捨てる（ステル）を思念で読むと、「一方方向に進み発信・放射したものが（ゴミ箱に）留まる」になりますが、ほかす（ホカス）では、「引き離れたチカラが、一方方向に進む」となり、もう捨てたものには縁はないという感じが出ています。「捨てる」の場合は、ゴミ箱に留まっているという意識があるので、ひょっとしたら後で拾うこともあるかもしれませんが、関西の「ほかす」は自分からさっさと引き離すことを比較的に強く意識している感じですね。

私は関西の人間なので、なんとなくわかるのですが、「ほかす」という意味には、自分とは関係ないものとして遠ざける、放るといったニュアンスがたしかに強いような気がします。

このように、方言で読んでも、だいたい同じ意味にはなるのですが、地域性、お国柄といったことがやはり思念には出るようです。

私自身、方言の力はすごいなと最初に思ったのは、沖縄を訪れたときのことです。

それまで、一人でカタカムナを研究していた私に、沖縄でセミナーを開催してほしいという声があり、数十年ぶりに訪れた沖縄でした。

私にとっては、大切な研究を人に披露する機会です。嬉しさと期待に満ちた気持ちとともに、人前でうまく話せるか、私の説に耳を傾けてくれるかという、不安や緊張もありました。そんな、期待と不安がごちゃまぜになった気持ちで、那覇空港に降り立った、私の目に飛び込んできたのが、空港のあちこちに大きく書かれた**「めんそーれ」**という言葉でした。

沖縄の言葉をまったく知らなかったので、何のことか意味がわかりません。でも、あっちに「めんそーれ」、こっちにも「めんそーれ」と、とにかくたくさん書いてあるものだから、何か重要な意味があるのだろうと思い、思念で読み解いてみたのです。

「メ」は「指向（思考・芽）」、「ン」はメを強調する、「ソ」は「外れる」、「ー」は比較的短い時間の経過、「レ」は「消失する」です。

つなげて読んでみて、私はなんとも不安な気持ちになりました。それは、**「強く指向して、外れたものが次第に消失する」**と読めたからです。

「強く指向して」、とは、つまり、沖縄にやってこようと指向して来た私のこと？　その外れたものが次第に消えてなくなる……つまり私がいなくなると読めるわけです。私はなんだか怖くなりました。今まで思念で読んでみて、間違ったことはありません。私が消えるのかなぁ？　と……。

考えながら歩いているうちに、**「ようこそ」**と書かれたポスターが目に入りました。そのとき「あっ」と気づいたのです。**「強く指向して、自分のところから外れて、沖縄に来た私は、もう外れていない、沖縄の人の中に消えてすべて受け入れられ、もう見分けがつかない」**……それが「めんそーれ」という意味だったのです。「消失する」ということは、「もう外れてはいない」ということ。もう私は沖縄の人と同じ仲間だよと言ってもらっているのです。その意味を思念で理解したときに、私は、沖縄の人々の温かい気持ち、方言のすごい力に感動して涙したのでした。

消えてしまった「ヰ」と「ヱ」が意味すること

48音の中には特殊な文字があります。

「ヰ」と「ヱ」、そして「ヲ」です。

ひらがなで書くとそれぞれ「ゐ」「ゑ」「を」ですよね。昔の書物、人の前などではよく使われた3文字ですが、現在ではあまり見かけません。

この3文字は、「イ」「エ」「オ」と音が似ているため、吸収されてしまいました。ヲはかろうじて残っていますが、「ヰ」と「ヱ」はほとんど使われなくなっています。

しかし、この2つの文字は極めて重要な意味があります。思念では、「ヰ」は「存在」、「ヱ」は「届く」です。

これは何かというと、生命の核に本当の自分がいて、この「本当の自分（存在）に届く」という意味なんです。ある意味、「ヰ」と「ヱ」の言霊が振動していたから日本人は素晴らしい道義性を発揮していたとも言えるのですが、戦後、使われなくなって消えてしまったということは、日本人は「本当の自分を見失ってしまった」ということを意味しています。

ともあれ、使われなくなった文字は、理由はどうあれ、現代にはもう振動していないから使われなくなってしまったのです。ただし、そんな中でも、この「ヰ」と「ヱ」だけはなくすわけにいきません。実際には、思念読みで使うことはほとんどなくなっているのですが、日本人の精神性の原点を再発掘するためにも、この2文字はぜひ復活してほしいと思います。

新しい世の中になって、日本人の意識が変われば、やがてはそれが可能になるのではないでしょうか。

発音の仕方は、今はもう消えてしまってわからないのですが、「イ」と「ヰ」、「エ」と「ヱ」は、異なるはずです。ローマ字にすると「wa,wi,wu,we,wo」と「ya,yi,yu,ye,yo」の列に音が抜け落ちていますね。「オ」は「O」で、「ヲ」は「WO」ですから、私たちは「ヲ」を発音するときには、「W」がかかって「ウォ」と発音しているはずです。これと同じで、「ヰ」は「WI・ウィ」、「ヱ」は「WE・ウェ」と発音するのではないかと思います。しかし、実際に聞いた音ではないので断言はできません。

思念読みから正しい言葉の使い方がわかる

思念読みをすることによって、その言葉、あるいはその言葉が示すものの本質がわかります。

逆に言うと、本質を知ることによって、今まであいまいに使っていた言葉を正しい意味に使い分けることもできるようになります。

たとえば、「おにぎり」と「おむすび」の違いをご存知でしょうか。

まったく意識しないで両方の言葉を同じように使っている人が多いと思いますが、この2つには明確な違いがあります。

実際に、動作をしてみましょう。手を握るとき、どうしますか？　片手でこぶしを作ることを「握る」と言いますよね。これに対して、「結ぶ」となると、必ず手が2本ないとできません。

つまり、「おにぎり」という場合は、片手で握れる俵型の小さなタイプのことを言います。同じくお米を片手でひとつにまとめるお寿司も「結ぶ」とは言いませんよね。「握りずし」です。

これに対して、お結びは両手で作る三角形のタイプを言います。

これを踏まえて**「おにぎり」**と**「おむすび」**をそれぞれ思念で読んでみましょう。

おにぎりは、**「奥深くに圧力の内なるエネルギーをかけて離すもの」**になります。つまり、手でお米に圧力をかけてひとつにまとめ、手を放すとできあがるということを言っています。

では、おむすびはどうでしょう。

「奥深くの広がりが一方方向に進んで根源から出る」です。つまり、「両手で作った奥深くの広がりが、ギュッとまとめられて、その中心からできるカタチ」をイメージできますね。

おにぎりもおむすびもほとんど同じようなものなので、だいたい似たような意味になるのですが、やはり、片手でギュッと握るおにぎりと、両手で結ぶ三角形のおむすびでは、微妙に本質が異なるわけです。

思索を巡らす時間を楽しむのが思念読みのコツ

ここまでで、ごく初歩的な思念読みの説明は終わりです。短い言葉なら、これだけでなんとなく読めるようになるのではないでしょうか。

思念をつなげただけで、なんとなく意味が通じてしまうものもあれば、まったくなんの意味があるのかわからないこともあると思います。

たとえば、「兄（アニ）」と「姉（アネ）」で読んでみましょう。

「アニ」の思念は、**「感じる圧力」**です。なるほど、お兄さんというのは、なぜか威圧感を与える存在のようですね。自分より力も強い、立場も常に上、何かというと指図してくると感じるのでしょうか。個人差はもちろんあるでしょうが、思念ではそう出ます。

では**「アネ」**はどうでしょう。思念は**「感じる充電」**です。「感じる」はまだいいとして、「充電」とはどういうことでしょう。お姉さんも年長の「きょうだい」のことですけれども、圧力を感じる兄の存在に対して、「姉」は、自分よりも経験豊富で頼れる「存在」とうつるのかもしれません。

このように、思念の示す意味が一概にわからなくても、状況とかシチュエーションを思い浮かべてみて、あれこれ思索を巡らしていると、必ず「パッ」とひらめくときがあります。そのときが、本質にググッと近づいているときです。

まずは、あまり深く考えず、リラックスして、いろいろな想像を膨らましてみてください。その時間を楽しむことがコツです。

なんとなく感覚がつかめたら、次の第3章に進みましょう。

少し高度な内容になりますが、これからお話しすることを会得すると、思念読みがさらに深く、正確になります。

極力、難しい話にならないよう、事例を出しながら進めますので安心してください。

それでは、用意ができたら、次の第3章へどうぞ進んでください。

第3章

思念読みから導き出される言霊の宇宙法則

第2章では、思念読みの基本を学びました。これだけでも、充分言葉を読み解けますが、宇宙の真理を理解するにはもう少し詳しい知識が必要です。

難易度は上がりますが、本章で解説する「思念から導き出される言霊の宇宙法則」1〜9をマスターすると、さらに理解が進むと思います。ぜひ、チャレンジしてみてください。

宇宙法則 1 トキは未来から過去へと流れる

時とは過去から流れてくるのではない。逆に未来のほうから今を通って過去へと流れる。今の時点で次の未来は決まる。

さっそく始めましょう。

第1の法則は、「時とは過去から流れてくるのではない。逆に未来のほうから今を通って過去へと流れる。今の時点で次の未来は決まる」です。

何を言っているのでしょうか？　これだけではわからないので、時間の流れを表す言葉を思念で読み解いてみましょう。

昨日（キノウ）、今日（キョウ）、明日（アス）、未来（ミライ）、過去（カコ）、歴史（レキシ）、昔（ムカシ）を順番に読み解くと、この法則の意味がわかります。

昨日（キノウ）は、「（キ）エネルギーが、（ノ）時間をかけて（ウ）生まれ出るもの」です。時間をかけるとはどういうことでしょう。「今日」と比較してみましょう。

今日（キョウ）は、「（キ）エネルギーが（ヨ）新しく（ウ）生まれ出るもの」です。昨日は、2章にも出ましたね。「昨日（キノウ）は「時間がかかって生まれ出るもの」で、今日（キョウ）は「新しく今生まれるもの」ということは、どっちが先でしょうか？　思念からいうと、今日（キョウ）のほうが先ということになります。

今日（キョウ）が先で昨日（キノウ）が後？　多くの人は「変だな？　逆ではないか」と感じるかもしれません。ただそう読めるだけでしょうか？　いえいえ、あべこべのように思えて、実は、これこそ真理です。なぜなら、今日という日が始まらなければ、昨日も生まれないのですから、「今日が新しく生まれ出る」、そして「昨日が時間をかけて生まれ出る」の順番で正しいのです。

では、時間を早めて今度は、**明日（アス）**を読んでみましょう。**「(ア) 感じて (ス) 一方方向に進む」**と読めます。明日（アス）というのは今感じる方向に進む、と言っているわけですね。

未来（ミライ）は、**「(ミ) 実体の (ラ) 場が (イ) 伝わるもの」**です。実体の場というのは「今」のことですね。つまり、思念読みすると、たった今、この瞬間に伝えているものが未来だと言っているわけです。

今度は時間をさかのぼります。

過去（カコ）は、**「(カ) チカラが (コ) 転がり入ったもの」**という意味になります。これは、過去が現在に影響しないことを意味しています。

以上、ざっと思念読みしてみましたが、ここまで読んで時間の流れがなんとなくわかったでしょうか。

明日は**「今、感じる方向に進む」**もので、未来とは「今この瞬間の実体が伝えるもの」と符合するのはわかると思います。

次に、**今日**とは、**「エネルギーが新しく生まれるもの」**、**昨日**は**「時間がかかって生まれ**

トキは、過去ではなく「未来」から流れてくる…

る」もので、先ほど言った通り、今日は昨日より先に来ます。そして、**過去**は、**「力が転がり入って、力を及ぼさないもの」**となるのです。

これはいったい何を意味しているのでしょうか。整理してみましょう。

私たちは、未来から流れてくる、なんの情報も書き込まれていない未使用の「**時（トキ＝統合されたエネルギー）」**を使用し、今という時を刻んでいるのです。そして、使用した時は、次の瞬間には**記憶（キオク＝エネルギーが奥深くに引き寄ったもの）**となって過去へと流れ去っていくのです。

普通に考えれば、昨日の次に今日が来るのが自然な時の流れに感じます。

ところが、思念で読み解いてみるとそうではなく、まったく逆で、時は未来から流れてきて今を通り、過去に去っていくのだとわかります。

続けて、過去と似た意味の言葉である**「歴史（レキシ）」**を読み解くとどうなるでしょうか。

「（レ）消失した（キ）エネルギーの（シ）示し」とは、なくなってしまったエネルギーの示しですから、今に力を及ぼさないと言っているのがわかります。

もうひとつ、**「昔（ムカシ）」**は、**「（ム）広がった（カ）チカラの（シ）示し」**となります。力というのは一点に集中して、初めて力として働きますが、広がってしまうと、まったく力は働きません。つまり、昔というのは広がってしまった力、うすれてしまったため、現在の役に立たない力の示し、それが昔だということです。

先ほど、「過去」は「転がり入った力のないもの」だと言いました。「歴史」も「昔」も同じく過去のことですが、いずれも「消失してしまった（もしくは弱まった）エネルギー」だと言っているのです。つまり過ぎてしまった時間というのは、ただの足跡なのです。

過去の歴史にまったく影響されることなく、今日になれば、また新しくエネルギーが生まれるのです。過去はれっきとして存在しますが、それは通ってきた足跡を示すもので、現在を変える力はもうありません。だから、過ぎ去ってしまった過去にとらわれて生きるのは愚かだというわけです。

ですから、過去ではなく、明日を、未来を見ましょう。明日は今感じた方向に進み、未来は今のエネルギーで決まると言っています。大事なすべての力は「今」が握っているのです。

「はじめに」に書いた通り、私は、ゴールボールという視覚障害者スポーツのサポートをしていました。2012年のロンドンパラリンピック前に、私はミーティングでこのときの流れについてみんなに話をしました。

誰でも「必ず金メダルをとる!」と決意はしていても、やはり弱い心が湧き上がってくるものです。心に湧き上がる弱いココロ、自分たちへの不信感をすべてなくさなければ、金メダルはとれません。なぜなら世界のすべてのチームが金メダルを狙っているのです。一番とれると信じているチーム、そのために強い意志を持ったチームこそが、目標を達成できるはずです。

日本は前回の北京大会では9ヵ国中7位という成績でした。でも、過去には何も意味がない。過去の成績がどうであれ、そんなものには何の力もない。時間は未来から今を通って、現実を作っていく。だから今、勝利を決めるのだ！　と……これは私の心からの叫びでした。結果はその通りになりました。チームが過去から自由になり、今を全力で生きた結果、みんなの強い思いが現象化を生み出したのだと思います。

このことをしっかり頭に入れておいてほしいと思います。

誰でも、いつでも人生は変えられます。過去に縛られる必要はないのです。

未来は過去の延長線上にできるのではなく、今から作っていくのです。

言霊のことを知れば、そのことがよく理解できます。

そうしてもうひとつ、**「明日」**が**「感じる方向に進むもの」**とは、どういう意味か考えてみましょう。

実は、私たちには、明日が見えていないということです。見えないので感じる方向に進んでいるのです。つまり、私たちは前を向いて進んではいないのです。私たちが見ている方向は「過去」、過去を見つめながら、未来を背中で感じ、不安を抱きながら、未来の方向に今進んでいるのです。つまり、後ずさりしているんですね。過去を見ながら歩いているので、今が過去の続きだと感じてしまうのです。けれども実は前を向いて未来を見つめながら歩く方法があるのです。それは、カタカムナを解き明かせば理解できることなのですが、この本は思念読みに特化して書いているので、またの機会に詳しくお伝えしたいと思います。とにかく、**時間が未来から、今を通して流れていること。過去は今を変える力を持たないこと。未来も今という「実態の場」が決定していること。**これらの事実を知るだけでも人生観が大きく変わるのではないでしょうか。

宇宙法則 2 言葉と思念が逆の表現になる現象は循環を表す

言葉と思念が逆の表現になる現象は循環している。潜象《せんしょう》のエネルギーが現象を引き起こしている。

この法則は、対義語をそれぞれ読んだときに、お互いにあべこべの表現になる現象を表しています。たとえば、吹く（吐く）・吸う、出る・入るなどがそうです。

まず「吹く」と「吸う」を読んでみましょう。

吹く（フク）＝（フ）増えて（ク）引き寄ること

吸う（スウ）＝（ス）一方方向に進み（ウ）生まれ出ること

息を吹くときというのは、口に溜めた空気を吐き出す動作です。だから、「増えて」はなんとなくわかるものの、「引き寄る」は、むしろ吸ぅ動作を連想させます。

では、吸うはどうでしょう。肺や横隔膜の力を使って空気を体内に吸い寄せる動作です。しかし「一方方向に進む」は、出ていく方向を示します。「生まれ出る」、これもやはり、むしろ吹く動作に近いのではないかと感じます。

このように、対義語を思念読みすると、あべこべの意味になる現象があります。

なぜかというと、**思念というのは、原因を表す**ものだからです。

吹くという現象を作り出すためには、吸うという原因が必要です。まず息を吸わなければ吐けません。反対に、吸うという現象を作り出すためには、やはり、その前に吹くという原因が必要です。

だから思念読みで、「吹く」と「吸う」などの対義語の思念に、反対の意味が表れるということは、その2つはお互いに循環していると言えるのです。

これは、原因と結果がお互いに循環しているために、現象（結果）を表す言葉の思念が、その結果を生み出すための原因のエネルギーとなっていることを表しています。

この法則がわかると、言葉を思念で読み解いて、反対の意味が出てくる場合は、「これは循環している現象だ」と言えるわけです。

このように、現象の裏に潜んでいる本質を、潜象と言います。現象が表に現れるのに対して、潜象は現象化していない、見えていないエネルギーの世界のことです。

出る・入るも、やはり循環するものなので、あべこべになるはずです。実際に、読み解いてみましょう。

出る（デル）＝（テ）内側に発信・放射されるものが（ル）留まること

入る（ハイル）＝（ハ）引き合い（イ）伝わるものを（ル）留めること

「テ」は、「発信・放射」の意味ですが、濁点がつくのでエネルギーの方向が変わり、内側に発信・放射されることになります。すると、「出る」という行動が表す意味と、やはりあべこべになっているのがわかります。

入るも同様に、向こうに入りたいと思っているけど留《とど》まるということですから、「入らない」という意味にとれます。

入ったものは出る、出るものは入るというように循環しているため、このようにあべこべの意味になるのです。

したがって、いろいろな言葉を読み解いていったときに、反対の意味になる思念が読み解けるときには、その事柄が循環する本質を持っているということがわかるわけです。

そうしたときに、非常に興味深いのが **「ビッグバン」** という自然現象です。

ご存知の通り、ビッグバンとは宇宙が膨張を始めたときの最初の爆発現象だとされています。まだわかっていないことが多いものの、思念読みすると面白いことがわかります。

ちなみに、「ビッグバン」は、英語の「Big bang」のことですが、ネイティブの発音だと最後の「g」をちょっとだけ発音しているので、より正確に読み解くとすると〝ビッグバング〟が適当です。

すると、次のようになります。
（ビ）根源に入り（ツ）集まって（グ）引き寄り、（バン）大きく引き合って（グ）引き寄ること
ビッグバンというのは、現象としては、特異点という質量のない小さな小さな一点に宇宙が生まれ、大膨張が始まるときの最初の大爆発のはずです。ところが、思念で読むと、どうも元の特異点に収束していくようなニュアンスに読めます。

ということは、どういうことでしょうか？

ビッグバンは循環している現象なのだということが強く示唆《しさ》されます。

膨張していった宇宙は、限界点を迎えると、今度は逆に収束を始めていって、最初の爆発地点である特異点に戻るとされる説は理論的には存在しているもの、たくさんある説のひとつであり、学会で確定しているわけではありませんでした。むしろ、現在では、宇宙は収縮することなく無限に膨張し続けるという説が有力です。

しかし、思念で読むと、ビッグバンは循環している現象であることに間違いなさそうだ、ということがわかるわけです。

宇宙法則 3

語順には必ず意味がある

語順には大きな意味がある。勝手に語順を変えて理解をしてはいけない。

これは、すでに説明しましたね。思念読みでは、語順がとても大切です。必ず、語順の通りに思念をつなげて読まなければなりません。

語順には意味があるということです。

わかっているつもりでも、気をつけていないと、このルールを破ってしまうことがあります。

特に、だんだん慣れてきたときがえてして危険です。

語順を変えてしまったほうが、なんとなくしっくりくるような感じになるときがあって、勝手な解釈で読み解いてうまくまとまったように錯覚してしまいがちになります。

これでは、目的がまったく違います。無理やりでも意味が通りそうな文章にすることが目的ではなく、思念読みによって、そのものの本質を突き止めることが目的です。

したがって、勝手に語順を変えて、思念を捻《ね》じ曲げてしまうと、本質を大きく見誤ることになるのです。

語順の通りに思念をあてはめたとき、その意味が一概にわからなくても、適当にごまかしてしまわないで、本来の読み方をあきらめずに見つけてください。


試しに、わざと語順を変えて読んでみましょう。

「エネルギー」だったら、**「(エ)移るものを(ネ)充電する(ル)止まっているところ=ゼロ点から(ギー)内側に湧き出るエネルギー」**になります。ところが、たとえばネとルがひっくりかえって、「(エ)移って(ル)止まっているところ=ゼロ点を(ネ)充電する(ギー)エネルギー」になってしまうと、まったく動かないゼロ点を充電することになってしまい、非常に矛盾した読みになります。これではエネルギーは発揮できません。このように語順を変えて理解すると、まったく違う言葉になってしまうのです。


もうひとつ例を出しましょう。

「愛（アイ）」とはなんでしょうか？

思念読みでは、**「(ア）感じて（イ）伝わるもの」**になります。「愛おしい」という感情が先にあって、それが伝わるから「愛」なんです。語順を変えて**「イア」**になると、**「(イ）伝わって（ア）感じるもの」**になります。「伝わって感じるもの」とはなんでしょう。実はこれは、「イアー」つまり、「耳＝ear」のことを言っています。

このように語順を変えてしまうと、まったく別の意味になってしまうので注意しましょう。

宇宙法則 4

思念に善い悪いはない

思念には善悪がない。私たちが現象をどう捉えるかで善悪が生み出される。

言葉を思念で読むということをやっていると、「私の名前は、よい思念を持っていますか？　それとも悪い思念でしょうか？」と多くの人が聞いてきます。

名前から思念で読み解けるものは、その人の本質であり、善い悪いではありません。つまり思念読みは占いではないのです。

たとえば、「サ」は「遮り・差」という思念なので、否定的にとられる場合があります。「サキさん」だと、「遮るエネルギー」になり、何か、否定的な、自分がエネルギーの流れを止めてしまうみたいな印象を受けます。しかし、実際はその反対で「遮る」、あるいは、「差」をつけるというのは、エネルギーを生み出し、転換させるきっかけとなる大きな役割を果たします。

宇宙というのが、すべてがゼロで、平等で差がなければ、本来は永遠に何も起こりません。争いも悲しみもない代わりに、喜びも愛もなんにもないのです。

ところが、そこに「差」ができることによってエネルギーの流れが起こり、初めて宇宙や生命が生み出されることになり多様性が生まれます。

あるいは、エネルギーが流れているところを遮るとどうなりますか？　行き場を失ったエネルギーが新たな方向性を見出《みいだ》して今までになかった流れを作っていきますよね。また、遮られたエネルギーというのは、ときには爆発的な力を発揮します。その力により、新たなものが生まれ出ることはよくあることです。「サ」というのは、そういうすばらしい役割も持っているのです。

もうひとつ、例を出しましょう。

「愛（アイ）」と**「悪（アク）」**を比べてみます。

愛はこの世の中でもっとも美しく、尊いもの、そんなイメージですよね。思念読みすると、**「（ア）感じて（イ）伝わるもの」**です。それが愛なんです。そこに、善悪の概念はありません。

では「悪（アク）」はどうでしょう。**「（ア）感じて（ク）引き寄るもの」**と、これも善悪の概念はありません。

愛という「感じて伝わるもの」、悪という「感じて引き寄るもの」、それぞれ、善いも悪いもない、何を感じて伝えるか、何を感じて引き寄せるかによって善悪は決まる……つまり、使う人次第なのです。たとえば「アク」とは「開く」という意味でもあります。自分が判断して閉じていた扉を開き、受け入れることなのです。善悪はすでにその人自身が知っているのでしょう。

ここで例題として、**「核兵器（かくへいき）」**を読み解くとどうなるかやってみましょう。

人類の最終兵器、使い方を誤れば、本当にこの世界を破滅させてしまいかねない恐ろしい爆弾です。その本質は、さぞやおどろおどろしいものだろうと想像した人もいるかもしれません。

実際には、次の通りです。

（カ）チカラの（ク）引き寄りを（ヘ）縁・外側へと（イ）伝える（キ）エネルギー

何のことでしょう？　核兵器というのは、核物質に周りから強い圧力をかけることによって核分裂を引き起こし、莫大なエネルギーが発生する化学反応を応用した兵器です。なんのことはない、その化学反応のことを思念では言っているのです。核分裂という化学反応そのものに、善いも悪いもありません。問題はそれをどう使うかなのです。

みなさんの名前を読み解いたときに、思念によってわかるのは、本質です。それ自体に善いも悪いもなくて、あなた自身がその本質を知ってどう生かすかを考えるきっかけを与えるものなのだということを理解してください。

宇宙法則 5

同音異義語の思念は共通する

同音異義語は同じ振動数を持つため、必ず共通した思念を持つ。

日本語には同音異義語がたくさんあります。

思念読みをした場合、同じ音は必ず同じ意味になるので、同音異義語はまったく同じ思念になります。

この説明では少し疑問が残るかもしれません。同音異義語は音が同じだけで、言葉としてはまったく異なるものです。異なるものなのに同じ思念とはどういうことでしょう。

同じ音を持っている以上、振動数が同じですから、つまり、本質が同じであるために、そう呼ばれるようになったのです。偶然、たまたま同じ音の並びになったわけではないのです。

試しに、同音異義語を読んでみましょう。

手に持つ**「箸（ハシ）」**と、川に架ける**「橋（ハシ）」**、物の先端を意味する**「端（はし）」**はそれぞれどう読めるでしょうか。

ハの思念は、「引き合う」、シの思念は「示し・現象・死」です。つなげると、**「引き合う・示し」**、あるいは、**「引き合う・現象」**となります。

これを見て、箸、橋、端、それぞれを思い浮かべてみてください。

箸というのは食事のときに、物を挟むために使います。2本の箸を引き合わせて使いますね。

橋はどうでしょう。川の両岸を引き合わせるために架けるのが橋です。

では端は？　ちょっと想像してみてください。物と物を並べるとき、重ねるとき、折り曲げるとき、それぞれ端と端を引き合わせます。また、端でなければ引き合いません。これも、引き合う示しなのです。

したがって、いずれも「ハシ」と読む3つの同音異義語は、言葉の上では違うものだけれども、本質はまったく同じであるということがわかります。

別の例を出しましょう。

「遺体」と**「痛い」**はやはり同音異義語ですが、同じく「イタイ」と読むこの2つの言葉に、共通項があるようにはちょっと思えません。

では、実際に読んでみましょう。

（イ）伝わるものが（タ）分かれて（イ）伝えるもの、となります。

「遺体」というのは、人が亡くなって、残った骸・肉体ですよね。亡くなるということは、意識とか魂とかがそこからなくなる、消えるということです。つまり、「伝わるもの」が、意識や、魂、生命などを表すとしたら、そういったものが肉体から分かれて、もうここにはないことを伝えるもの、それが「遺体」です。

では、「痛い」はどうでしょう。人が痛いと感じるのは神経の作用、つまり、神経伝達物質の作用ですよね。どこかをケガしたり、ぶつけると、神経伝達物質がピッと分かれて、脳に情報を伝達するから、「痛い」と感じるわけです。

このように見ていくと、「遺体」も「痛い」も、思念は共通していて、本質は同じだということが言えるのです。

宇宙法則 6

濁音はエネルギーの方向が反転する

清音は「正」を示し、濁音は「反」を示す。濁音はエネルギーの方向が反転する。

私はセミナーをするときに、よく、「濁音を制するものは言霊を制する」と言っています。それぐらい、濁音の読み解き方は重要で難しいです。

これまで、何度か説明の中に出てきたと思いますが、カタカムナ文字には濁音がありません。48音はすべて濁りのない「清音」が基本です。ここに、濁点がついて濁っても、基本的には同じ思念を表します。

ただし、**エネルギーの方向だけが変わります。**このとき、単純に逆向きになるものばかりではないところに濁音の難しさがあります。

48音のうち、濁点がつく音は20音ありますが、この20音のひとつひとつに微妙な違いがあります。濁点が読み解けるようになると、かなり細かくエネルギーの動きである思念が読み取れるので、より具体的なことがわかります。
なので、ちょっと長くなりますが、20の濁音について、清音と比較しながら読み方を見ていきましょう。

●カ行

「カ」は清音では「チカラ」です。チカラは通常、外に発するものです。したがって、濁音の「ガ」となると、内側に発する力、内側に向けた力になります。たとえば、「学（ガク）」は「内側に発する力が引き寄る」と読めます。学というのは「自分のための力になるものを引き寄せてくれるものだ」という意味です。

「キ」は清音では「エネルギー・気」です。エネルギーというのも通常は外部に放出されます。したがって、「ギ」になると、内側に入っていくエネルギーとなります。渦でいうと清音が右巻で、中心から外側に広がっていく渦となり、これが濁音になると左巻、内巻きの渦になります。

たとえば「カギ」を思念で読むと「チカラのエネルギーが内側に放出されている」状態

を指します。カギというのはカギ穴に入れますよね。穴の内側に発するエネルギーでカギは開閉《かいへい》されるわけです。

「ク」は清音では「引き寄る」です。「グ」になると反対だから「引き離す」になるのかというと、そういうわけではありません。「引き寄る」というのは、主体（A）が客体（B）に引き寄ることを言います。つまりAからBに寄っていく状態です。これが、「グ」になると反対になるので、今度はBがAに引き寄る。BからAに向かっていく状態を意味します。

たとえば「家具（カグ）」を読んでみましょう。「（カ）チカラが（グ）向こうから引き寄る」になります。だから、家具にいっぱい物が集まったり、人を引き寄せて、物を入れたり出したりするわけです。

「ケ」は清音では「放出する」です。放出という以上、外に出るのが普通の状態です。したがって、濁音の「ゲ」になると「内側に放出される」状態になります。たとえば、弓や楽器に使う「弦（ゲン）」は、思念読みすると「内側に強く放出される」になります。弓の弦が内側に強く引き絞られて弓を射出しますし、バイオリンなど弦楽器の弦は、本体内部に強く振動を放出しますよね。

「下駄（ゲタ）」はどうでしょう。「（ゲ）内側に放出するものが（タ）分かれるもの」になります。けれど、ゲタにはバイオリンやギターのような内部の空洞はありません。こういう場合、下に放出されます。下というのは、地球の中心核のことです。下駄で歩くとき、人間が踏みしめることによって上から押さえられる力が、重力の作用で地球の中心核に向かって放出されますね。また「タ＝分かれる」とは、その下駄のハが2つに分かれていることを表しています。

「コ」は清音そのものが、「転がり入る」という意味と、「転がり出る」の両方があります。主体的な思念は「コ＝転がり入る」なので、濁音になると「ゴ＝転がり出る」に変わるのが基本なのですが、単純にそうとばかりは言えません。カタカムナには「内側」と「外側」という概念があるのです。内側の視点なのか、外側の視点から見ているのかで、同じ「コ」でも思念の方向が変わります。内側の視点から見ると、「コ＝転がり出る」になり、外側の視点から見れば、今度は「コ＝転がり入る」になるのです。

したがって、濁点の「ゴ」になると、これがすべて逆になり、内側の視点が「転がり入る」となり、外側の視点から見ると「転がり出る」となるわけです。

なんだか「コ」は、ややこしい気がしますが、まずは、濁音と清音は方向性が反対になること。また、「コ」の場合、主となる思念は、外の視点から見た、「内側に、転がり入る」が基本なので、これを基準にエネルギーの動きを判断すればいいと思います。

以上をふまえて、「ゴミ」を読んでみましょう。思念読みすると「転がり出る実体」です。まず、生活している私たちの外の視点から見ると、ゴミはどんどん転がり出ますよね。だから「転がり出る実体」で、溜まったら捨てに行かなくてはいけません。

では、視点をゴミ箱などに置くと、どうなりますか？　ゴミとは、「転がり入ってくる実体」となってしまいますね。

さらに濁音が重なる例を見てみましょう。

「時刻（ジコク）」と「地獄（ジゴク）」を比べると、「ジコク」は「内なる示しが転がり出て引き寄るもの」となり、「時間という内なる示しは、転がり出るもの」＝内↓外となりますが、「ジゴク」となると「内なる示しが、（地球の中へと）転がり入って、引き寄るもの」となりまさしく「地獄」ですね。

●サ行

「サ」は清音では「遮り・差」です。遮るという場合、通常は外部から内部に入ってこれないようにすることです。たとえば、柵は外部からの侵入者を遮るものです。したがって、濁音の「ザ」になると、内側のものを出ないようにすることを言います。

たとえば「雑誌（ザッシ）」は、「（ザ）内なる遮りに（ツ）集まった（シ）示し」になります。週刊誌などは、内側にいろいろと記事を集めた示しなのです。

「シ」は清音では「示し・現象・死」です。示しは通常、外部に向かって表すこと。現象も表に現れることです。したがって、濁音の「ジ」になると「内なる示し」、あるいは「内的な現象」となります。

たとえば、自己（ジコ）は、「自分の持っている内なる示しが転がり出たもの」です。そうすると、交通事故などの「事故」も同音異義語で同じ本質を持っていることがわかりますね。私たちは、事故は、偶然に起こったものと考えがちですが、実は、自分の内側の原因から、転がり出たものというわけです。加害者は加害者になるという原因から、被害者は被害者になるという原因を持っていたから、それらが転がり出た結果、事故にあったということが思念読みでわかるのです。この思念読みは、本質を知ることで「人を恨む」という気持ちをなくす力を持っています。思念で知ることで、自身の生き方が大きく変わるいい例でしょう。

「ス」は清音では「一方方向に進む」です。一方方向に進むものは3つあります。「時間」と「エネルギー」と「渦」です。渦の場合、外側に進んでいきます。したがって、濁音の「ズ」になると、今度は内側に進みます。「沈む（シズム）」は、「示しが内側に進み見えなくなること」つまり下に落ちていきます。

「セ」は清音では「引き受けること」です。これが濁音の「ゼ」になると「引き受けるもの」に変わります。「コト」と「モノ」の違いです。

たとえば、「責任（セキニン）」は思念を読むと「（セ）引き受ける（キ）エネルギーの（ニン）大きな圧力」となります。これに対して、「税金（ゼイキン）」だと「（ゼ）引き受けるものが（イ）伝える（キン）大きなエネルギー」ですから、重みがのしかかるわけですね。「贅肉（ゼイニク）」も同じで、「（ゼ）引き受けるものが（イ）伝える（ニ）圧力が（ク）引き寄る」、贅肉の重みが圧力となって、引き寄せるということです。

「ソ」は清音では「外れること」、もしくは「外すこと」です。これが濁音の「ゾ」になると、「外されるもの」になります。これも、コトとモノの違いです。

たとえば、「雑巾（ゾウキン）」は、思念で読むと「（ゾ）外されるものから（ウ）生まれ出る（キン）強いエネルギー」となります。不要になった衣類やタオルなどが、本来の役割から外されてゾウキンに生まれ変わることで大きなエネルギーを発揮するということなのです。

●タ行

「タ」は、清音では「分かれる」ですが、濁音の「ダ」になると「向こうに分かれる」に変化します。

たとえば、「滝（タキ）」は、思念で読むと「（タ）分かれた（キ）エネルギー」になります。平地を流れてきた川が、崖などに出合ってエネルギーの変化した流れとなるわけです。でも、川は続いています。これが、「ダム」になると、「(ダ)向こうに分かれる(ム)広がり」に変わります。分かれたところに空間があるのです。川の流れがせき止められ、向こう側に分かれて水が広がって溜まるのがダムなのです。ダムに溜まった水を流せば、川は元通りつながって滝になりますが、流さなければ向こう側に分離されていますね。

「チ」は清音では「凝縮」です。通常、凝縮というのは内側に固まっていくものです。したがって、濁音の「ヂ」になると外側に凝縮する意味に変わります。

実は、この「ヂ」の思念を導き出すのには特別に苦労しました。私の思念の発見は、まず、それぞれの音がつく言葉をたくさん集めて、これらの言葉の中のその音の概念を、ひと言に集約した上で、こんどは言葉にあてはめて読み解き、矛盾があれば修正していくというものです。

ところが、「ヂ」がつく言葉は非常に少ないのです。もともとそうではなかったと思われます。「地」「知」「血」「智」「治」など、単独で「チ」と読む漢字は少なくありません。それが現在、「地面(ジメン)」や「政治(セイジ)」など濁音になるとなぜか「ヂ」は

「ジ」に変わってしまうのです。いずれにしても、「ヂ」が言葉から姿を消しているということは、現在、あまり振動していない音になっているという意味なのです。「チ」の音は、実は命の中心にある音です。近代化が進み、発音されなくなった音はほかにも、「ヰ＝存在」や「ヱ＝届く」などありますが、これらもすべて、命の内面を示す大事な音です。これらの音がなくなってしまったが故に、人間は自分自身を見失ってしまったとも言えます。反対にこれらの音が復活することによって、将来、人間は「自分とは何か」を気づき出すかもしれません。

「ツ」は清音で「集めること」、もしくは「集まること」です。濁音になると「集められるもの」「集まるもの」に変わります。

「テ」は清音では「発信・放射する」です。発信・放射というのは、通常、外側に向かって行われるものです。したがって、濁音の「デ」になると、エネルギーの向きが「内側」に変わります。さらに、この場合の内側というのは、ただ内向きになるだけではなく、軌道をつくって、内側に発信・放射します。したがって、「デ」の思念は、「軌道を作って内側に発信・放射する」になります。

たとえば、「電話（デンワ）」もそうです。電話線という軌道を作りますよね。そうして、「（デン）内側に軌道を作って大きく発信し、（ワ）調和する」ものです。電車もそうです。線路という軌道を作って、内側、つまり、より栄えている中心部に人や物を送るものですよね。

「電子（デンシ）」も原子の中では、原子核の外側に軌道を作って回っていますが、思念で読み解くと、電子のエネルギーは、原子の内側に空間を作るようにエネルギーを発信・放射しているのだとわかります。なるほど、プラスの核とマイナスの電子の間に空間がなければ、お互いに引き合い、原子はつぶれてしまいます。すべての物質は原子からできていることを考えると、電子の内側への発信・放射がなければ、すべての物質は存在することもできないでしょう。

「ト」は清音では「統合」です。この場合の統合は、主体Aに客体Bが統合することを意味します。これが濁音の「ド」になると逆転し、主体Aが客体B側に統合する意味になります。

たとえば、「ドジ」を思念で読むと、「(ド) 向こうに統合する (ジ) 内なる示し」になります。内なる示しというのは自分の中にちゃんと持っていなければだめなはずなのに、自分をなくして相手に統合してしまう人のことを「ドジ」と言うわけです。

もうひとつ例を出しましょう。「度胸 (ドキョウ)」を思念で読むと「(ド) 向こう側に統合する (キ) エネルギーが (ヨ) 自然に新しく (ウ) 生まれ出る」になります。向こうには何があるかわからない。何があるかわからないのに、向こうに統合しようというエネルギーが自然に新しく生まれ出てくることを「度胸がある」というわけです。

私が思念で読んでみてとくに面白かったのが、「自動ドア (ジドウドア)」です。ちょっと読んでみましょう。「(ジ) 内にある示しが (ド) 向こう側への統合を (ウ) 生み出すと (ド) 統合を (ア) 感じるもの」になります。これでぴんときたら、かなり思念読みに慣れてきた証拠です。答えを言うと、自動ドアというのはご存知のように、自分がドアの中に入ろうとするとセンサーが感知して自動でドアを開けてくれる装置です。つまり、「内にある示しが向こう側への統合を生み出す」というのは、自分がドアの向こう側に行きたいと思うとドアが勝手に開くということであり、そして、人が向こう側に統合すると、今度はドアが「統合を感じる」とは、人が通ったことをセンサーで感知して、勝手に閉まる、というわけです。うまくできていますね！

●ハ行

「ハ」の清音は「引き合う」です。この場合の引き合うは、主体A、客体Bとも任意のある点に互いを引き合うことを言います。

たとえば、「墓（ハカ）」を思念で読むと「（ハ）引き合う（カ）チカラ」になります。墓というのは、亡くなられたご先祖様、お参りに行く自分を、お互い引き合わせる場所です。これに対して、濁音の「バ」は、AもBも任意のある点から「反対方向に引き合う」意味に変わります。つまり「引っ張り合う」のです。

「バカ」を思念で読むとどうなるでしょうか。「（バ）反対方向に引き合う（カ）チカラ」です。チカラというのは、一緒の方向に使えば倍になります。しかし、お互い反対側に引き合えば力が相殺《そうさい》されて、疲れるだけです。それを「バカ」と言っているのです。力を合わせようとしないで、相手を非難したり、引き離すことだけを考えているのでは、肝心な物事は何も進まない。これを「バカ」だと言うのでしょうか。

「ヒ」は「コ」のときと同様に、視点によって方向が変わり、外側の視点では「根源から出る」ところを見ています。ところが、内側の視点から見ると「ヒ」は「根源へと入る」となるのです。

したがって、濁音の「ビ」になるとこれが逆になり、外側の視点では「根源へと入る」となり、内側から見ると「根源から出る」に変わります。

たとえば、「美（ビ）」というのはどういうことでしょうか。美とは中から輝くものですが、外側の視点から見ると、向こうの根源に入ってしまうということです。美しいものを見ると、「心を奪われる」と言いますよね。美しい人、美しい風景、芸術品は、我を忘れて見入ってしまう、心が持っていかれてしまうというわけです。

出る・入るという表現は、少しややこしい気がしますが、あまり気にする必要はありません。どちらの方向でも、エネルギーはトーラスを循環しているので、出るものは入る、入るものは出る、と究極的には同じことになり、方向を間違っても思念にそれほど差は出ません。

「フ」は清音では「増える」もしくは「負」です。

この場合の「増える」はどんどん外に向かって増えることを意味します。

たとえば、豊かになることを「富（フ）」と言いますよね。富というものはどんどん増殖していって、まわりのものを吸収していくことを言います。

ところで、「フ」には「負」というマイナスの意味もあります。なぜ「増える」と「負」が同じなのかというと、実は宇宙は必ずゼロになるようにエネルギーが動くので、増えているところは減っているところを持っているのです。つまり高い波の隣には低い波があって、一対になっているということです。これも視点がどちらを見ているかで表現が変わっているのです。この世の真理から言えば、プラスマイナスは長期的に必ずゼロになります。

ともあれ、「増える」ときには外側に向かって増えます。これが、濁音の「ブ」になると、「内側に増える」意味に変わります。

たとえば、「ブログ」を思念で読むと「（ブ）内側に増える（ロ）空間が（グ）向こうから引き寄ってくる」です。ブログというのは書けば書くほどどんどん内側に溜まっていきます。外に拡散していくというより、内側の世界がどんどん広がっていく感じです。すると、コメントとか、「いいね」とか、読者が向こうからどんどん引き寄って増えていく空間を作っていきます。

「ヘ」は清音では「縁《へり》」もしくは「外側」です。この場合は、内側から見た「縁・外側」です。野菜などの「ヘタ」とは内側から見た実や皮が硬くなったものですね。これが、濁音の「べ」になると、外側から見た「縁・外側」に変わります。

たとえば、「オシベ」は、「奥深くの（オ）示しが（シ）外側にあるもの（べ）」となり、つまり、花粉となって外側についている生命の素を言いますね。

もうひとつ、「ベッド」はどうなるでしょう。「（べ）外側に（ッ）集まって（ド）統合するもの」となります。ベッドの縁にマットや敷布、掛布団が集まって統合していますよね、そこに人間が入って統合する、つまりもぐりこんで寝るものだからベッドというわけです。

「ホ」は清音では「引き離すこと」です。「保険（ホケン）」とは、「引き離れて、大きく放出するもの」となり、死後や病気になった後の生活を保障してくれるものです。濁音の「ボ」になると「引き離されるもの」になります。これも、「こと」と「もの」の違いです。

たとえば、服などにつける「ボタン」、思念で読むと「(ボ)引き離されるものが(タン)大きく分かれるもの」となります。ボタンというのは服の布と布を引き留めているわけですが、脱ぐときにはボタンを外し、するっと脱げるわけです。

以上が濁音の読み方です。多少ややこしく感じるかもしれませんが、あなたが読み解きのエキスパートを目指しているのなら、何度も読み解く練習をすることで、コツをつかんでください。ややこしくてよくわからないときは、濁音は無視して、つまりエネルギーの流れは無視して読み解いていただいても大丈夫です。基本的な意味は同じなので、まったく矛盾が出てきません。

宇宙法則 7

思念は時空を超越する

思念は時空を超越する。明らかに昔には存在しなかった現代語と呼ばれる言葉や、違う国の言語も日本語で読むと、思念はその本質を表す。

カタカムナ文字は古代日本で成立したものだと考えられます。したがって、現在の日本で使われている言葉のほとんどは、カタカムナ成立以後に誕生した言葉のはずです。それが、すべて思念で読み解けてしまうということは、時空を超越していることになります。

たとえば、**「金（カネ）」**はどう読み解けるでしょう。**「（カ）チカラが（ネ）充電されたもの」**です。お金そのものに価値があるわけではなく、価値のあるものと引き換えられる……つまりお金を持っている人はチカラを持っているのですね。

江戸時代以前は、米や塩といった生産物が実質的に貨幣の代わりをしました。江戸時代以降、本格的な貨幣経済が始まったころは、金や銀などの貴金属で作った通貨が貨幣の中心です。近代になるとそれが紙幣になり、最近では電子マネーになっています。時代に合わせて形を変えている貨幣ですが、変わらぬ本質は、力が充電されたものであることです。お金にチカラが充電されているわけです。

近代になってできたもので言うと、**「車（クルマ）」**はどうでしょう。思念で読むと**「（ク）引き寄って（ル）止まる（マ）容れ物」**です。

もう説明の必要もないと思いますが、「引き寄って」「止まる」「容れ物」とは、ズバリ、車そのものを言いあてています。

このように、カタカムナ文字が成立した以降にできた言葉、あるいは事柄のすべてが矛盾なく読み解けるということは、思念は時空を超越しているということが言えると思います。

また、音というのは、言語が違っていても音が同じなら振動数も同じです。したがって、思念で読むことができるわけです。外国語を日本語とまったく同じ音に直すことは難しいですが、一般的に日本でカタカナに置き換えられている外来語は、そのままカタカナ文字に直して、思念で読み解くことができます。

なぜ、国が違う言語を、また時代が違う言葉を、日本語の思念で読み解けるのでしょうか？　本当に不思議です。ここから言えることは、言霊は人間が作ったものではないということです。人間はこのように時空を超越するものを作ることはできません。

物や地域の名称にしても、あるいは人間の名前にしても、どこかの誰かがつけたように思えて、実際にはそのものが持つ振動によって本質が決まっているので、その振動に合わせて自然に言葉が成立しているということがわかります。故に言葉を読み解けば、本当の意味がそこには隠されているのです。

同じ意味の言葉を、日本語と外国語でそれぞれカタカナ読みして、思念を読み取った場合どうなるか、次章で解説しています。

宇宙法則 8

潜象（思念＝思い）が宇宙の真の姿である

外国語や古語などが、言葉ではなく「思念」で通じるということは、潜象の「思念、思い」が宇宙の真の姿、実像である。現象とは潜象を映したホログラム、虚像にすぎないと言える。


物事の本質とはなんでしょうか。

目に見えているものが本質でしょうか？　違いますよね。

本質とは、形になっていない思いですよね。

最近でも、「引き寄せの法則」という言葉がもてはやされましたが、願えば叶うということが実際にあるわけです。

この世のものはすべて、目に見えている実体というのは実は虚像にすぎなくて、思念、思い、振動、そういったものが先にあり、実体を作っているのだということを、理解していく必要があります。

したがって、願えば叶う、思いは実現する、言葉にしたことに現象社会が影響されるというのは本当です。

精神世界の話が最近は世の中に浸透してきて、一定の社会認知を得るようになり、こういうことを言っても昔ほど変人扱いされることはなくなりました。

とはいえ、精神世界に寛容な人でも、本当のところ、どこまで本気で言っているのでしょうか。多くは、哲学的な話、あるいは、比喩やたとえ話として理解しているか、もしくは、事実かどうかというより、そういう考え方をしているほうが結果的にうまくいく、という捉え方をしているのではないでしょうか。

しかし、カタカムナを研究していると、本質とは見えない世界の中にあるということは、決して哲学の中だけの話ではないことがわかってきます。

カタカムナウタヒの中で徹底的に語られているのは、見えないエネルギー、思い、思念がこの世の中を作っているということなのです。おそらく、これこそ、カタカムナ人が後世の人に伝えたかった思いではないでしょうか。

今の世の中は、人類にとって決して理想の世界ではありません。戦争、飢饉、貧富の差、いろいろな問題があります。そんな社会の矛盾を正そう、この世を平和で住みよいところにしようと思ってがんばっている人がたくさんいるけれど、なかなか現状は変えられません。

なぜでしょう。どうすればいいのでしょう。

思いによって、現実が作られている、ということを理解することが、非常に大事な一歩になると思います。

現実に起こっている現象は、人間の思いの結果なのです。

現象を、現実の中で変えることはできません。たとえば、A国とB国が戦争したという歴史的事実は変えられません。たとえ停戦しても、争い合ったという事実が変えられない以上、それが禍根となり新たな戦争の火種になっていきます。そうして、戦争はいつまでもなくなりません。現実は、現象の中では決して変えられないのです。

現実を現象の中で変えられないなら、原因から変えるしかありません。

では、現象の原因を作っているのは何かというと、目に見えない世界、人間の意識の世界です。これを、「潜象」と言います。

潜象は現象と対をなすものであり、「現象世界＝結果」を作っているものです。

私たちは現象世界しか見えないから、それしかないものだと思っているけれど、そうではなく、本当に大事なのは潜象であって、現象は潜象の動きを反映した鏡にすぎない、現象こそ虚像なのだとカタカムナでは教えてくれています。

したがって、現象のことで思い悩む必要はありません。思い悩むと、その動きが潜象の中で作られていき、ふたたび現象の中で結果として現れてしまいます。

それではどうすればいいのでしょうか？ **結果を変えるためには、まずは意識を変えればいい**ということになります。でも、意識を変えるってどうしたらいいのでしょう？

楽しく快適な人生を送りたかったら、「楽しい」って思えばいいと言いますよね。それはたしかにそうなんですけれど、自分の意識は自分でコントロールできません。「楽しい」と思い込もうと意識している時点で、心から「楽しい」とは思っていませんよね。だから、現象としては現れないのです。むしろ、本心である「本当は楽しくなんかない」という意識が現象化してしまうわけです。自分にウソはつけません。

答えは、思念にあります。

思念の世界は「真の誠（マコトのマコト）」の世界なんです。本当に思っていることが現象化してしまうという世界です。そして思ったことが、すべて自分に帰ってくるというトーラスの循環の世界です。つまり、心の真ん中の思念の世界は、自分と他人が区別されない世界なのです。

だから思念の世界で何でも心の底から願い、念じればいいのだと思います。「真の誠」で思い、願い語ればいい。その思いはすべて自分に降りかかる現象として現れます。すべての思念の現象化は、強ければ強いほど、誠であればあるほど、必ず実現します。

宇宙法則 9 宇宙法則に例外は一切ない

1〜8の宇宙法則に外れる、一切の例外は存在しない。

法則に外れるものがあったら、それはもはや法則ではありません。例外が存在しないから法則なのです。

カタカムナの研究を始めて、思念表ができてきて、まだ数年しか経っていませんが、その間に実に多くの言葉を思念で読み解いてきました。しかし、ただの一度も、間違っていると感じたことはありません。ただし、「思念で、なぜこう読めるのか理解できない」と思うことはしばしばありました。しかし後から振り返ると、まさにそのときこそ、宇宙の真理を知るチャンスでした。「なぜこう読み解けるのか？」寝ても覚めても考えているうちに、ハッと理由がひらめくのです。このような体験を繰り返し、言葉の読み解きを重ねることによって宇宙の真理がわかるようになり、私の直感力は、ずいぶん鍛えられてきたと思います。

試しに、現在の科学でもよくわかっていないものを読んでみましょう。
たとえば、**「アセンション」**です。よく使われる言葉ですが、何のことかわかりますか？なんとなく、「上昇することなんだろうな」とおぼろげながら理解しているだけです。よく使っている人に、その意味を聞いても、「次元上昇」と答えてくれるものの、「それでは次元上昇とはいったい何？」と聞いても、よくわからない返答ばかりです。

思念で読んでみましょう。**「感じて（ア）大きく引き受ける（セン）示しが（シ）まっ**

たく、新しくなること（ョン）」となります。

感じて大きく引き受ける示しとは感受性のことです。つまり、「すべてにおいて、感受性がまったく新しくなること」、これをアセンションと言うのです。物事を捉える感覚が変わって、同じことが起こっても、感じ方が変わることがアセンションだったわけです。ときどき、大自然の雄大さに接したりすると、心から感動することがありますよね。そんな生きている喜びと感動を、日々のちょっとした生活に感じるようになることは、アセンションした状態だと言えるのではないでしょうか？

「ブラックホール」はどうでしょう。理論的に存在が確認されているものの、観測が難しく謎の多い天体です。どんな本質があるか、思念で読み解いてみましょう。**「（ブ）内側に増える（ラ）場が（ッ）自然に集まって（ク）引き寄って（ホ）引き離れて（ル）止まる・留まるもの」**。内側に増えていく場にまわりのものがどんどん集まって、引き寄って、核の中に引き離れ、最終的に留まってゼロ点を持つもの、これをブラックホールと言います。

ブラックホールは重力の作用で内側に内部崩壊してさらに重力を増してまわりのものを集め、光さえ引き込んで、事象世界からすべて引きはがして最終的にすさまじい勢いで一点（特異点）に留まる、とされています。どうやら、この理論は間違っていなかったようです。

しかしカタカムナの理論によると、ブラックホールは必ずホワイトホールにつながっているというのです。このことは科学ではいまだ、証明されていませんね。

「エイズ」はどうでしょう。ＨＩＶウィルスが引き起こす「後天性免疫不全症候群」のことで、現代の医学でもすべてが解明されたわけではありません。どんな本質があるのか、思念で読んでみましょう。**「（エ）うつって（イ）伝わるものが（ズ）内側に進むこと」**です。うつって伝わるとは、接触感染するということを表します。**「エボラ」**も**「うつるものが（エ）引き離れる場を作る」**となりますね。これは空気感染をするということでしょうか？　とにかく感染があちこちに拡大するという病気を示しているようです。「インフルエンザ」なども「エ」がつきますね。

「エ」はうつるという意味を持つすべての思念を表します。つまり「移る、写る、映る、うつる」等のどの意味も本質は同じなのです。ちなみに「絵」は写すものですし、ひしゃく等の「柄《え》」も液体を移すためについているものですね。

第4章

いろいろな言葉を思念で読み解いてみよう

ニホンとニッポン

1〜3章まで、カタカムナの基本的な知識と、カタカムナ文字の研究から生まれた思念表で言霊を読んでいくための基本的な方法についてお話ししました。

もうこれで、いろいろな言葉を思念読みできるはずです。最初はうまくいかなくても、練習を積み重ねていけば次第にすらすら読み解けるようになると思います。

ここからは、応用問題として、いろいろな言葉を読み解いてみましょう。

まず、私たちの国、「日本」を読み解くとどうなるでしょうか。

日本には、いろいろな呼び方がありますが、中でもよく使われるのが「ニホン」と「ニッポン」です。

なぜ、2つの呼び方を使い分けるのか、それぞれどういう違いがあるのでしょうか？

思念で読み取ってみると、面白いことがわかります。

まず、**「ニホン」**です。思念読みすると、**「（ニ）圧力から（ホン）大きく引き離れるもの」**となります。

日本列島はぽっかり海に浮かんだ島のように見えて、実は、太平洋プレート、北アメリカプレート、ユーラシアプレート、フィリピン海プレートという4つのプレートにまたがっています。プレートの動きが生み出す圧力によって大きく地面が引き離されて誕生したのが日本だというわけです。

では、「ニッポン」だと、どうなるのでしょうか。**「(ニ)圧力を(ッ)自然に集めて(ポン)瞬間的な力で大きく引き離すもの」**です。

小さい「ッ」が入っただけなので、思念が大きく変わるわけではないものの、より詳しくなります。プレートの移動は自然現象であり、大きな圧力がプレート全体にかかっています。その圧力が集まったときに、ポンッと勢いよく誕生したのが日本列島なのです。

ところで、現在でもニホンとニッポン、両方の読み方が使われています。どちらが正しいということではなく、場合によって読み分けているようです。NHKなどの調査によると、現在は6：4〜7：3の割合で「ニホン」が優勢だということです。

その中で、必ず「ニッポン」と呼ぶ場面があります。スポーツの応援のときですね。ニホンもニッポンも思念としてはほぼ同じなのですが、「ポンッ」と出る勢いが感じられる「ニッポン」は応援するときには最適な呼び方ですね。

自分の名前を思念で読み解いてみよう

物の名前は、それぞれの本質を表しています。

言語学的にいうと、語源があり、口頭で引き継がれる間に訛《なま》ったり、違う読み方にされたりして変化していき、結果として現在の音と語順ができあがった、ということになっているようです。

成立過程はその通りだとしても、偶然のいたずらで音と語順ができあがったとは考えられません。思念読みすると、いちいち本質をついているということは、すべての単語がなるべくして現在の音と語順になったということです。

語源から出発して、時代によって呼び方が変化していく現象を、言語学では「自然にそうなった」としか説明していません。なぜ変化したのか、どんなきっかけで変化し、なぜ現在の読み方になったのか、そこには必ず理由があるのです。そうしたときに、その物の振動数が変わることで、人々が受ける感覚が変わり、今までの呼び方では違和感があるので、次第にあるべき呼び名へと変化していったものだと考えると納得できます。

動物の名前、商品の名前、会社の名前、地名などもみな同じです。どれも、思念で読むとちゃんと本質を表しているということは、本質が先にあって、それに合わせて名前がつけられていると考えるしかありません。

これは、私たち一人ひとりについている名前にもあてはまります。

私の「信子」という名前は、父がつけてくれたものです。けれど、たまたまつけた名前ではないんですね。私の本質の振動を感じ取って、「ノブコ」という音と語順が導き出されたのです。

もちろん、父はそう認識しているわけではないでしょう。いくつかある候補の中から選んだのか、それとも、たまたまふっと浮かんだのか、先祖や親族の名前から関連づけて考えたのか、いずれにしても、自分で考えて選んだように思っていながら、実は選ばされていたのです。

結婚して姓が変わるのも同様に、振動数が変化するタイミングだからだと思います。したがって、結婚相手も、たまたまの縁ではなく、使命に合わせて選ばされているのだということが強く示唆されるわけです。

ここでは、参考に、私自身の名前である吉野信子（ヨシノノブコ）を思念で読み取ってみたいと思います。

これまで通り、まず1字1字に思念をあてはめてみましょう。

ヨ＝陽

シ＝示し

ノ＝時間をかける

ノ＝時間をかける

ブ＝内側に増える

コ＝転がり出る

これをつなげて〝てにをは〟をつけると、次のようになります。

新しい陽の示しが時間をかけて時間をかけて内側に増えて、転がり出る人

「陽」とは生命エネルギー、または、意識や思考のことです。それが時間をかけることによって、だんだん増えて転がり出る人、つまり、歳をとるにつれて、意識や思考が増えて、内面的なものが充実し、それが転がり出る人、という意味にとれますね。私の名前は「信子」と書くので、転がり出るとは「人に言う」ということではないかなと思っています。カタカムナに目覚めて全国各地でセミナーを開催している、まさに、今の自分の状況を言い表しているようです。ということは、これが私の使命だったということです。なぜならその人の「氏名」は「使命」を表しているからです。

実を言うと、名前の読み解きは、数霊をはじめとするいくつかのテクニックを複合することが必要です。いつかまた、数霊の読み解き方もお伝えしたいのですが、今は、思念読みを楽しんでおおいに想像力を働かせながら読み解いてみましょう。

もうひとつの事例として、誰もが知る歴史上の有名人を読み解いてみましょう。

たとえば、**「マリリン・モンロー」**だとどうなるでしょう。

マ＝受容
リ＝離れる
リン＝大きく離れる
モン＝大きく漂う

ロー＝空間

受容（容れ物）から次々と大きく離れて大きく漂う空間……とはいったいどういう意味でしょうか？

マリリン・モンローは、もう亡くなりましたが、男性に人気抜群の、セクシーなアメリカの女優でしたね。

「マ＝受容」とは、生命エネルギーを入れる人間の「身体」を指しています。

そして「ロ＝空間」も、どちらかというと「肉体」という意味を持っているのです。

実は、物質や私たちの身体は、とても小さな原子核と、とても小さな電子でできています。電子が飛び回って作っている空間をたくさん引き寄せることによって、細胞となり、身体が作られているのです。そして、その空間に入っているものこそ、「陽」の生命エネルギーであり、エネルギーこそが中身「実体（光）」なのだとカタカムナでは説いています。身体や肉体は陽のエネルギーを入れる受容であり空間で、「陽」に対する「陰」、つまり実体の「カゲ」なのです。だから私たちの「陰」である肉体は、生命がなくなると滅びてしまうのです。少し難しくなりましたが、そのことを知って、彼女の名前を読み解くと、

ます。

身体から次々と離れて漂う肉体の空間（つまりお色気）

という意味になりますすね。溢れるお色気で男性群を悩殺する彼女の生き方が伝わってきます。

歴史上の有名人にしても、現存する人物にしても、人の名前を読むときには注意が必要です。人の一生や使命というものは、簡単にひと言やふた言で語れるようなものではありません。たまたま今は不幸な境遇の人でも、人生を通してみたらそうではない場合もあります。歴史上の有名人にしても、伝えられている生涯はほんの一部ですし、間違って伝わっている場合も少なくありません。

人の名前を思念で読み解くときは、このように、世間的に伝えられている評価や人柄で決めつけるのではなく、また、善悪を知ろうとするのではなくて、その人の本質を知ることを目的とすべきだと思います。

そして、できるだけ自分の名前は、自分で読み解いてください。長年、なぜ私はこの道にひかれるのか……と謎に思っていたことが、実は自分の使命はそこにあったのだと実感できるのは自分自身しかいないからです。

神とは何か

神、これも、深遠なテーマです。その本質はなんであるか、思念で読み取ってみたいと思います。

ちなみに、上や紙も**「カミ」**と読みます。宇宙の法則にありましたね。音が同じであると同じ振動数であり、したがって思念は同じです。つまり、神、上、紙は本質的に同じであるということです。それぞれ、たまたま「カミ」と呼ばれるようになったのではなく、同じ振動を持っていたわけです。

では思念で読んでみましょう。カミというのは**「(カ)チカラの(ミ)実体」**です。力の実体とはいったいなんでしょうか？　次の章でもまた説明しますが、これは宇宙論の話に通じます。膜宇宙論という説があり、それによると宇宙は2次元の膜のような形をしているのだと言います。膜を紙と置き換えてもいいでしょう。

その膜の一点に力が加わると、ギューっと下に絞れて漏斗《ろうと》のようになって、その歪《ゆが》みの先に実体（光）が現れるのです。したがって、力を生み出す神は、常に現象世界の上にあって、紙のような平面状の膜宇宙にいるというわけです。神と紙と上が一致しました。

歪みの先端にある渦の中心はぎちぎちに絞られているのですごく苦しい状態です。神はなぜそんな苦しみを私たちにもたらすのかというと、苦しみはすべてを生み出すからです。新しい発見、発明もその苦しさ、不便さを乗り越えようとして産み出されます。つまり苦しさはすべての産みの親なのです。苦しいという状態があるからこそ、幸せだ、楽しい、という状態も初めて生まれるのです。

膜宇宙の平面状態は、エネルギーがゼロの状態なので、苦しみも悲しみもないけれど、嬉しいとか、楽しいとかもない、時間もないので永遠に何にもない、ある意味ですごく退屈な世界です。

神様は創造主です。何もないゼロの世界に、凹凸を生み出し、エネルギーの流れ＝時間を作りました。つまり、差別を作ったのです。その差別によって生まれ出たものが、同じものは何ひとつない美しい多様性の世界です。そして、そのエネルギーの循環の中心に「生命」が生まれました。

生命に限りがあることで、私たちは生を謳歌し、生きる喜びを感じることができるわけ

神とはブラックホールのこと？

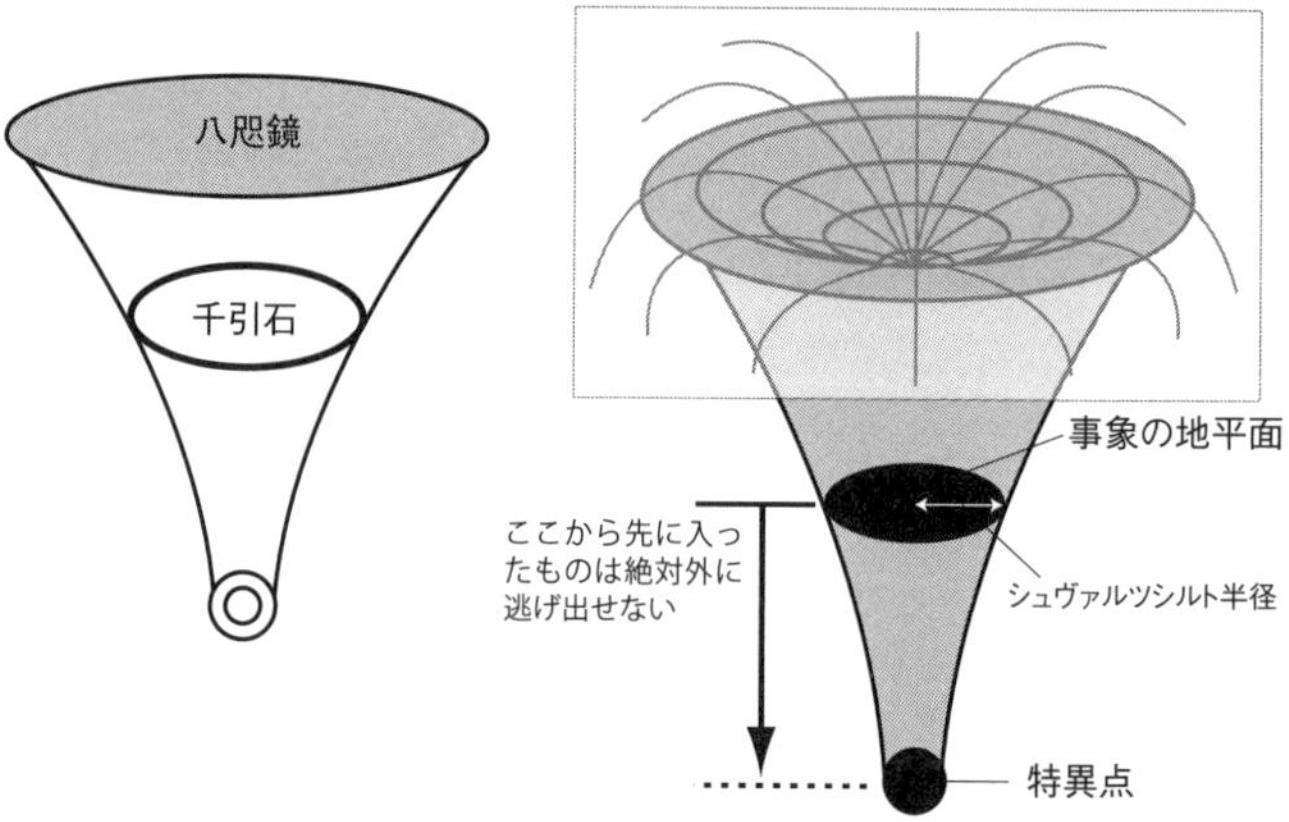

です。その喜びを与えることが、神の目的なのです。

もうひとつ、尊い存在を表す言葉に**「尊・命（ミコト）」**があります。

この言葉を思念で読んでみると、さらに面白いことがわかります。

『古事記』や『日本書紀』によると、天（宇宙）から降りてきた神様が地上を作り、森や木、山や川、そして、人間や動物を創造したとされます。それら神代の尊い方を「命」もしくは「尊」と書き、いずれも「ミコト」と読みます。

ミコトとはどのような存在なのでしょうか。思念で読んでみましょう。

（ミ）実体が（コ）転がり入って（ト）統合

思念でわかる『古事記』の世界観図

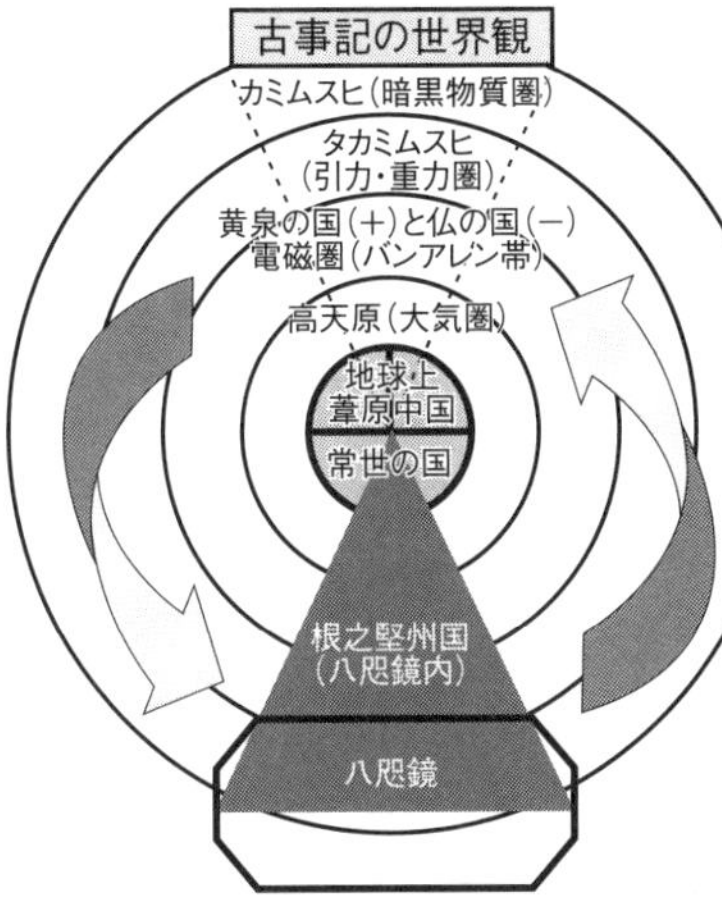

したもの、と読めます。

実体というのはこの場合、「光」です。何もない平面の膜宇宙に神様が渦を作り、漏斗のように絞られた先に実体が現出するという話をしました。このとき、光が渦の中にころころと転がり入って統合したもの、それがミコトなのです。それはそのまま私たちの生命が生まれるところでしたね。

つまり、ミコトは、私たち人間のことであり、人間は光でできているのです。命は、滅び去る肉体を持っているからこそ、尊い存在なのです。

この謎解きは、次の章でお話しすることにしましょう。

外国語を読み解いてみよう

言霊というのは宇宙に共通するものなので、日本語だけではなくて、英語でも、スペイン語でも、フランス語でも、世界の言語を思念表で読み解くことができます。

ただし、母国語の言語そのままでは、48声音に対応できないので、日本語読みに直す必要があります。

なぜ、日本語なのでしょうか。

日本語というのは世界的に見ても極めて特殊な言語で、48音のうち「ン」を除くすべての音が母音と子音のペアで成り立っています。これは世界でも稀《まれ》な日本語の特徴です。

言葉がすべて母音と子音の組み合わせになっていることにより、日本語を使えば、右脳と左脳が総合的に機能するという脳学者もいます。

2014年、ディズニーの映画「アナと雪の女王」が大ヒットしましたね。映画が封切られるときのプロモーション戦略の一環で、さまざまな言語で歌われた主題歌「Let It

Go」の動画がYouTubeで一般公開され話題になりました。それぞれの国と地域で主人公エルサ役の声優を務めた女優自身の歌声をつないだものだったわけですが、日本語版を担当した松たか子さんの歌声がダントツで人気があったことは、読者のみなさんも記憶しているのではないでしょうか。

松たか子さんの歌声もさることながら、多くの人が、やはり、日本語の美しい響きを感じたのだと思います。

これは私の体験ですが、ゴールボールの国際大会で、日本が優勝すると表彰式で日本の国旗掲揚とともに「君が代」が流され斉唱します。すると、終了後、他の国の選手やコーチが私の周りに集まり、「ノブコ、この国歌の響きはとてもすてきだね。いったいどういう意味なのか教えてくれないか」と集まってくるのです。1音1音引き延ばしながら、厳かな曲調にのせて歌う、日本の国歌と日本語は、他の言語圏の人にとっても、非常に独特の響きを感じるようです。

日本語の48声音は、地球と宇宙の源の言霊だと私は確信しています。

大昔は、今の国家概念で考えられる日本列島に住む日本人という枠組みではなく、広く大陸にも日本語を話す民族が住んでいたことでしょう。国の境界線もなく、パスポートもいらない大昔、人間たちは、行きたいところに行き、住みたいところで住んでいたのではないでしょうか。その中で、これは日本文化だ、いや中国が発明した……などという現代の国家概念に縛られた発想ほど、愚かなものはありません。ただ、48音の言霊だけは、振り返ってみると、日本列島に存続し続けた、という事実があるだけで、国別に人間を分けて考える必要はなかったのです。なぜなら同じ兄弟でもそれぞれ違います。同じ地球人でも一人ひとり違います。国が違えば、違うと分けているのが現代の社会ですが、もともと人間を分けることなどできるのでしょうか？　そこには多様性があるだけなのです。

聖書の創世記にも「世界中の人は同じ言葉を使って、同じように話していた」という記述があるのです。その観点から、思念読みを見ると、**大昔、人間は「思念＝思い」という言葉でひとつに結ばれていた。意思の疎通ができていた時代があるの**ではないかと感じます。

たとえば、**「愛している」**という日本語と、同じ意味を表す**「アイ　ラブ　ユー」**という英語、**「ジュテーム」**というフランス語を思念で読み比べてみましょう。

「アイシテイル」とは**「感じて伝わる示しが発信放射を伝え続ける」**となります。

最後の「ル」は少し説明が必要で、「止まる・留まる」という思念を持っていますね。これは動きが止まるトコロつまり「ゼロ」点を示していますが、「発信・放射」など継続するものが、そこに止まる＝留まると、ずぅーっとその行為を続けるという意味になるのです。

カタカムナの思念は、すべてがゼロになるように作られています。

48音すべてを足すと、エネルギーがゼロになります。しかし1音ずつでも、ゼロになる意味を持っているのです。だから「ル」を詳しく見ると、「止まる＝続く」という意味になるのです。少し難しいでしょうか？　正と反が同じという、このカタカムナの感覚をマスターすれば、すべてを見通す目が養われ、確実に直感力が鋭くなっていきます。

次に、英語の「アイ　ラブ　ユー」を読み解いていきたいと思います。

「感じて伝わる場が、内側に増えて、自然に湧き出る」となりますね。

今度は、感じて伝わる「場」なので、一人のイメージではなくて、愛する人がそこに一緒にいる感じですね。その場のエネルギーがお互いに高まって、自然に湧き出る言葉……それが「アイ　ラブ　ユー」なのでしょう。きっとそのあとアメリカ映画では、抱擁してキスをするのでしょうね。

最後はフランス語で「ジュテーム」です。

「内なる示しから、自然に湧き出て発信放射をし続ける広がり」となりました。「内なる示し」とは「ココロ」をいうのでしょう。ココロから自然に湧き出た発信・放射が、「テーム」としばらく続いて広がっていく。やはりフランス語らしくロマンチックな響きです。

どうですか？　思念で読むと、すべて、よく似た内容を表していることがわかりますね。昔の人たちはこの思念表がなくても、音に秘められた本当の意味を感じることができたので、お互いに意思疎通ができたのかもしれません。

その他、「愛している」以外の言葉を、違う言語に置き換えて試してみたのですが、結果は何度やっても同じでした。やはり、思念は共通するのです。

韓国語であろうと、ドイツ語であろうと、また、日本各地の方言であろうと、思念で読み解くと、本質的に同じ意味を表します。これはすごいことです。ご自身でぜひ、実感してみてください！

第5章

カタカムナウタヒを読む

カタカムナウタヒ第1首から第6首を読む

これまで本書では、現代語を思念で読み解いてきました。

本来、思念は、カタカムナ文字が伝えようとしている宇宙の秘密、生命の謎を読む解くためのツールとして開発したものです。ここからは、いよいよ、「カタカムナウタヒ」が教えてくれる深い世界の中に分け入っていきます。

現代語を思念表で読み解いていったように、カタカムナウタヒをひとつずつ、読み解いてみましょう。

ここでは、80首のうちの第1首から6首までを読み解いてみたいと思います。

読み解き方は大きく分けて「言葉訳」「思念訳」の2通りです。言葉訳とは、現象界の言葉そのままで、ウタヒの文面を読み解いたもので、現代語に近い表現になっています。思念訳は、潜象界にある本質を読んだときにどうなるかを表します。そして最後に、思念読みだけではわからない部分の解説を含めて、総じて、どのようなことが言えるのかを考えてみたいと思います。

なお、本来、ウタヒは、とても深い意味を持っており、それもひと通りではなく、重層的・複合的な意味が込められていると考えられます。実際には、思念読みだけでは完全な理解に至ることはなく、大枠の概念的な読み方にとどまることをご理解ください。

それでも、カタカムナの壮大な世界観の一片だけも感じていただけるのではないかと思います。

「カタカムナウタヒ」には、本来濁音は存在しません。カタカムナには清音、濁音の区別がないのです。潜象界の「思念」にも濁音はありません。濁音は現象界の「言葉」の中にのみ存在しています。

しかし、本書では、たとえば、第1首には、「ヒビキ」や「マノスベシ」など読み方に濁音を表記しています。これは、現在使われている言葉との関連が想起しやすいようにと、そのまま自然な言葉の読み方で、濁音を用いているのです。また、「ムスビ」や「ムスヒ」など、どちらも読める場合は、読む人が判断すればいいと思います。濁音に関しては、特に定義はないので、読み解く際に理解しやすい読み方をすればいいのではないかと私は考えています。

図①

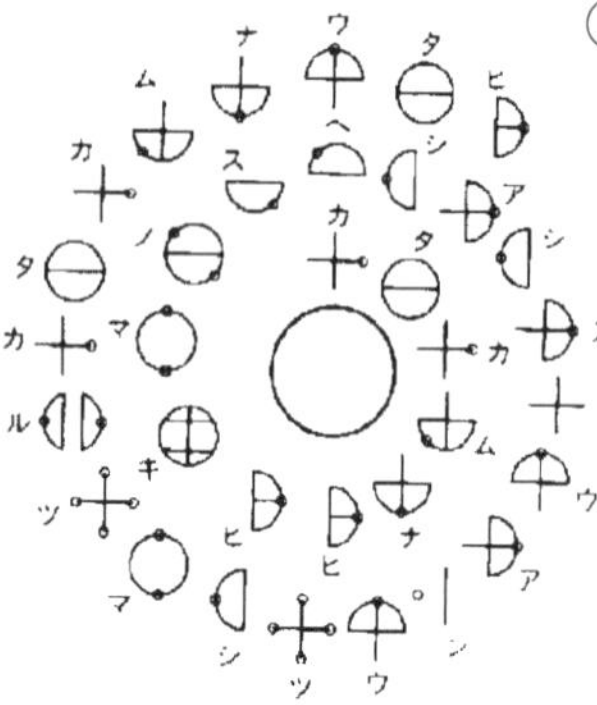

図②

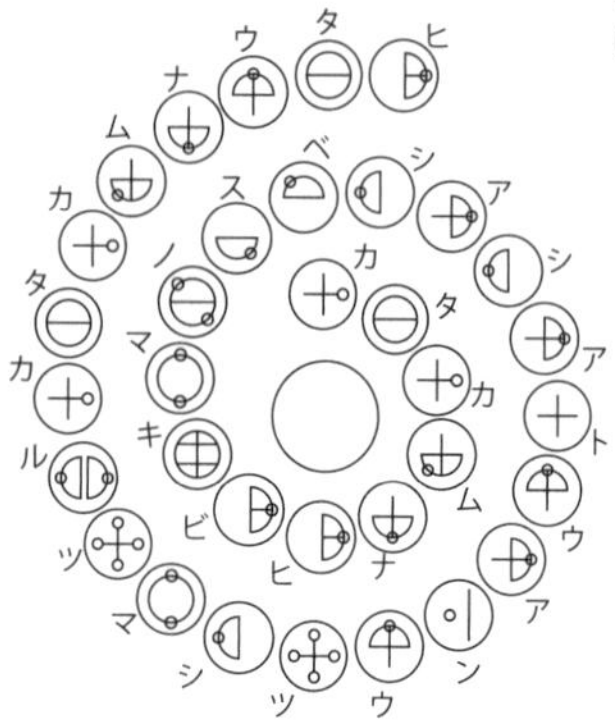

また、「カタカムナウタヒ」の渦文字の表記の仕方に2通りあるのを気づいていらっしゃる方も多いと思います。

図①のように丸で囲まれていないカタカムナの渦と、

図②のように48音のすべてが丸で囲まれた渦文字があります。

最初に平十字氏が「カタカムナウタヒ」を楢崎氏に書写させた原文は、図①のように48音の周りに丸のない形でした（カタカナの読み仮名は後に加筆したものです）。

その後、楢崎氏は、カタカムナ研究を行う過程で、便宜上、図②のように、カタカムナウタヒの48音のすべてを○で囲み渦を表記する手法をとったのです。

なぜなら、カタカムナ文字と読み仮名との境界線が

10首：カムミ

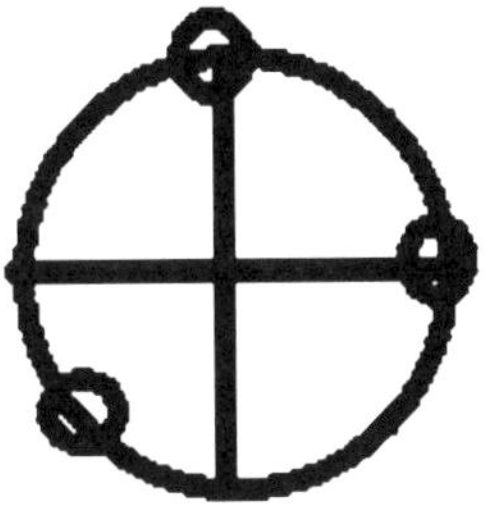

はっきりとわかり、渦の形もわかりやすくなるからです。

本書では、楢崎氏が用いた図②の手法に基づいてカタカムナウタヒを描写していますので、ご了承ください。

さらに、カタカムナウタヒのカタカムナ文字には2種類あります。

①48声音の単音を表す「カタカムナ声音符」

②複数の単音を重ねてひとつの単語を表す「カタカムナ図象符」

です。①の48声音符は思念表に表記されていますが、②の「カタカムナ図象符」はひとつの図象符で複数の音を表現します。本書の読み方は、すべて発見者の楢崎皐月氏の音の解釈によっていますが、同じ図象符でもまったく違う読み方をする場合もあり、将来、検証が必要かもしれません。

この図象符の例は、1文字で「カムミ」と読みます。これは、カとムとミをひとつに重ねた形です（実は、カムミ以外にも複数の読み方ができます）。

例）カムミ→カ＋ム＋ミ

すべての言葉は、言葉と思念という表裏の2つのパラレルワールドを表します。言葉は現象界の意味を、思念は潜象界のエネルギーの動き、原因を表しています。

それでは、第1首を表面上の言葉と、その奥に隠されている思念とで読み解いてみましょう。

第1首

ミクマリは「陰陽」を表す

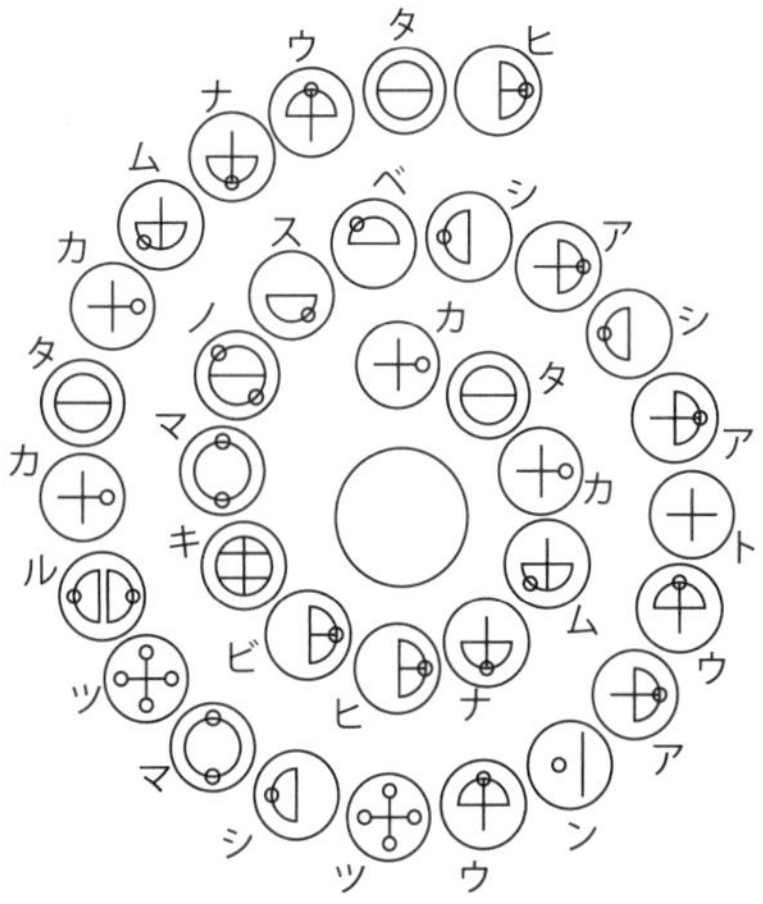

80首あるウタヒの最初の1首は、中心図象がミクマリというシンプルな丸で表された図象です。ミクマリは実は「陰陽＝☯」を表しています。最小は素粒子や量子から、生命、地球、太陽、宇宙まで、すべては陰陽（ミクマリ）の相似象であるとみます。

つまり、ミクマリはすべての現象粒子です。ひとつひとつの粒子（空間）が時を刻んでおり、「時のエネルギー」を意味しています。ミクマリはまた、三種の神器のひとつ、勾玉を象徴しています。80首の中で、ミクマリを中心図象とするウタヒは、この第1首と第15首の合計2首しかありません。

中心図象は、それだけでは文字として読みませんが、そのウタヒが語っている内容を表しています。ミクマリ図象を中心にするウタヒは**「陰陽の生命体」**について語っているのです。

言葉訳：カタカムナという物質（カタ）とその生命（カム）の核（ナ）から出る、48音の響きは、核の中の「マ」という空間から生まれ出ています。アシアトウアンがこの響きを写し取りました。それがカタカムナウタヒ80首です。

思念訳：チカラが分かれたもの（カタ）と力の広がり（カム）の核（ナ）の根源から次々と出るエネルギー（ヒビキ）は、受容（マ）が時間をかけて（ノ）一方方向に進み（ス）、縁（ヘ）まで達した示し（シ）である。

感じる示しを感じて（アシア）、統合が生まれ出ることを強く感じるものが（トウアン）、生まれ出て集まる示しとなり（ウツシ）、受容に集まり留まっている（マツル）、それらが、チカラの分かれたもの（カタ）とチカラの広がり（カム）の核（ナ）から　生まれ出て分かれる根源から出たもの（ウタヒ）である。

少し丁寧に解釈すると次のようになります。

カタカムナの生命体の核の根源から次々と出る言霊のひびきは、核の中心のゼロの空間が、時間をかけて生み出した、たくさんの振動する粒子（言霊＝☯）である。粒子の空間（陰）に統合することを強く願う「陽の生命エネルギー」が統合して陰陽となり、振動する粒子として核の受容の空間に集まり留まっている。それらの振動粒子（言霊）が、カタカムナの核の根源から生まれ出て分かれカタカムナウタヒとなる。

解説：カタカムナウタヒは、「アシアトウアン」なるものが、写したものである、ということがはっきりと語られています。まずここで気になるのが「アシアトウアン」とはいったい何者かということでしょう。私は最初、「アシアトウアン」という固有の人物がいたのだろうと考えていました。しかし、次第に、本当に個人名なのだろうかと疑問を感じるようになりました。カタカムナ文字を使っていたのは「アシア族」と呼ばれる人たちだと言われています。もしかしたらその「アシア族」全体を指すのかも……と考えてもなおもしっくりきません。

そこで改めて「アシアトウアン」の思念をみると、「感じる示しを感じて、統合が生まれ出ることを強く感じるもの」という本質が浮かびあがってきます。「感じる示し」とは「命や心」のことですね。「生命やココロを感じて統合したいと強く願うもの」、つまり心や生命と自分たちがひとつになりたいと強く願うものという意味ですね。……それは、カタカムナの48首の言霊が飛び交う「和の国」と言われ調和を生み出そうとする日本人の特性と重なります。アシアトウアンを日本人と考えると、「日本人が、カタカムナの48音の響きを日本語に写し取った……」となり、心から納得できるのです。そう読み解くと、48音の響きが日本語の音となっている理由もはっきりとわかってきます。

第2首

八咫鏡もカタカムナも神である

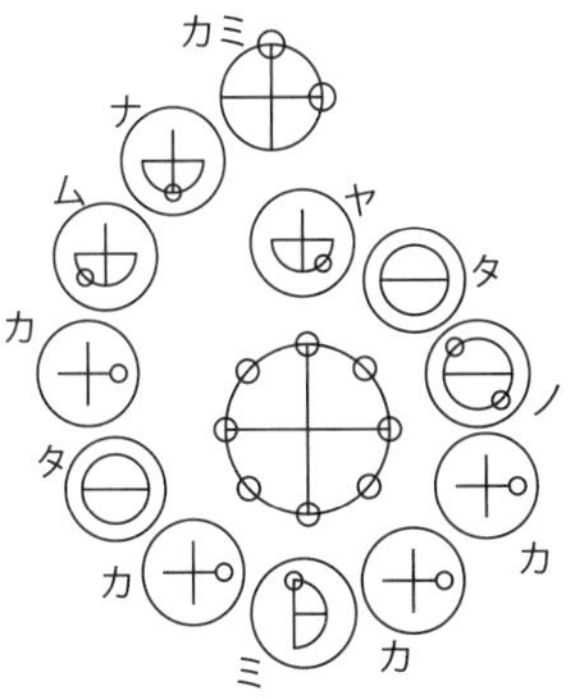

第2首の中心図象はヤタノカガミです。ミクマリが中心図象のときは陰陽のことを言っていましたが、ヤタノカガミは、生命のトーラスの「永遠循環」を表しています。したがって、ヤタノカガミを中心図象とするウタヒは生命のトーラス現象についての説明になっています。ヤタノカガミは三種の神器の「八咫鏡」を表しており、ウタヒ全80首のうちの71首で使われており、ほとんどを占めています。

言葉訳：①ヤタノカガミとその中心のカタカムナが神である
②ヤタノカガミがカタカムナの核の上（上流）にある

思念訳：飽和して8つに分かれ（ヤタ）、時間をかけた（ノ）チカラが反射して次々とうつる実体（カガミ）とチカラが分かれたもの（カタ）と、チカラの広がり（カム）の核（ナ）が、チカラの実体（カミ）である。

解説：ヤタノカガミはエネルギーを核の中に吸い込んでいく役割を果たす入口のことを言いますが、吸い込まれた先にあるのがカタカムナです。その両方ともカミであると言っています。

あるいは、最後の2文字「カミ」を「上」とすると、「ヤタノカガミがカタカムナの上流にある」という意味にもとれます。ヤタノカガミがまずエネルギーを吸い込んで中心核にあるカタカムナに引き渡すわけですから、上流にあることは間違いありません。いずれの解釈でも正しく、矛盾していないことがわかります。

ヤタノカガミ（八咫鏡）を含む三種の神器は、命を生むための3つの構造をそれぞれ表しています。ヤタノカガミは創造の御柱の下側にある逆回転の渦だったという話を第1章でしたと思います。そこがエネルギーの実体を吸い上げる役目を果たしています。そうして、中心核のカタカムナ＝フトマニがその力を受け取り、エネルギー（陽）とカタ（陰）を統合して生命そのものを生み出す役割を担い、最後、ヤタノカガミとフトマニによって生み出されたものが草薙剣から放出される。つまり、それが言霊であり、陰陽を表す勾玉のことです。この3段階のエネルギーの働きを図象化したのが、三種の神器というわけです。

なお、ヤタノカガミとカタカムナが神であるということは、『日月神示』の中にも示されています。『日月神示』とは、神道家で画家でもあった岡本天明氏が高級神の降霊により自動書記で書いたとされる神示で、預言書として知られています。主に漢字や数字などで書かれていますが、その中には、漢字ではない独特の図象が混じっていて、それぞれに非常に重要な意味が示されていると言われます。中でも、特に重要なのが「◯」の中に「丶」で、これは、『日月神示』の研究者によれば宇宙の始まりを意味しているとされます。そして、この図象こそが、ヤタノカガミ（◯）とカタカムナ（丶）のことだったのです。

第３首

フトマニは生命を生み出すエネルギーの放出現象

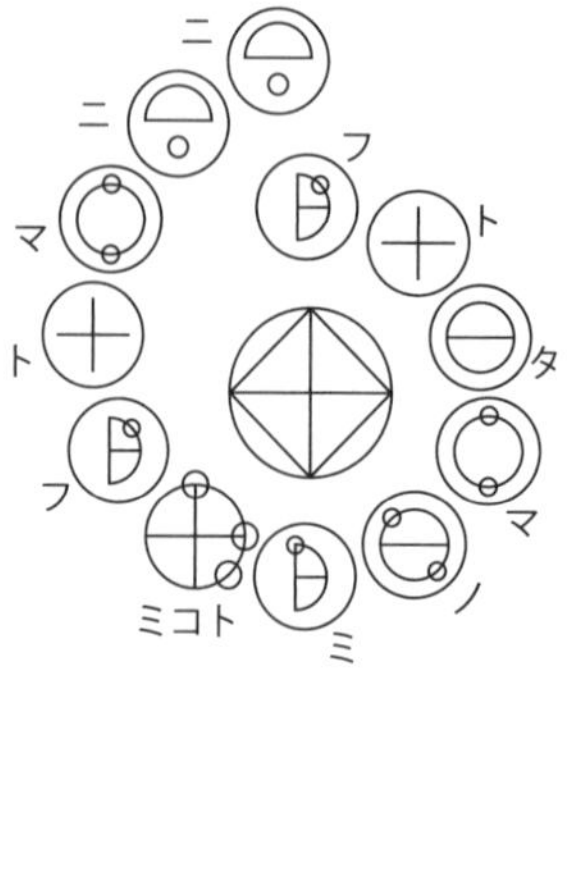

フトマニ図象は80首中、7首のウタヒの中心図象となっています。三種の神器の草薙剣を具象し、創造の御柱の中心にある核、すなわち「カタカムナ」そのものであり、エネルギーを放出する役割を持っています。したがって、フトマニを中心図象とするウタヒは、「エネルギーの放出現象を起こす核の中の動き」について説明しています。中でもこの第3首は基本的なフトマニの構造について説明しています。

言葉訳：フトタマ（太極）の実体こそ命である。その2つが統合したゼロの空間には次々と圧力がかかり続ける。

思念訳：増えて太くなった2つのものが（フ）、統合して（ト）陰陽に分かれた受容（タマ）が、時間をかけた実体（ノミ）が、実体ごと転がり入って統合（ミコト）する。増えて2つの統合した陰陽の受容（フトマ）には、次々と圧力がかかり続ける（ニニ）。

解説：フトタマとは太い玉、つまり、2つの極をつないだ軸が回転することによってできる陰陽の大きなトーラス構造を表しています。これは、小さな陰陽の構造である言霊とは違って、創造の御柱全体を覆う大きな構造です。巨大なトーラスが2つの渦を覆っていて、その中心にある穴の空間にエネルギーが流れ込んですごい圧力が次々とかかっている状態が「フトマニニ」です。

ヤタノカガミのところでも説明した通り、ヤタノカガミとカタカムナの両方がカミであるとカタカムナウタヒでは言っています。そして、両方の神の生み出すチカラが統合して生命（ミコト）ができています。その「フトタマ」の中心の空間（フトマ）には圧力が次々とかかる（ニニ）のです。カタカムナ＝フトマニは、トーラスの中心にある穴で、そこはプラスとマイナスが相殺されたゼロの空間ですが、エネルギーが高圧で圧縮され、高密度でぐるぐると回って渦ができています。

ヤタノカガミはエネルギーを吸い込み、カタカムナに命の元となるものを供給し続けるチカラですがエネルギーだけでは形になりません。生命が生まれるにはエネルギーが入る空間が必要です。その空間をつくり出すのがカタカムナです。だから、ヤタノカガミもカタカムナもカミなのです。

そうして、核の中心のカタカムナ＝フトマニにエネルギーが集まって、高圧で回転することで時空が統合し生命が生まれるのですが、生命活動は、このように中心に向かって常にすさまじい圧力がかかり続けることによって、生命エネルギーを放出し続けているわけです。第3首はこの基本的なフトマニの構造を表しています。

すでにお話しした通り、フトマニのひし形に＋の図象は、剣の切っ先を象徴しています。見えない剣の先からエネルギーが放射されている様がイメージされますね。草薙剣はこれを象徴したものです。そして実は、ひし形に＋の図象は、ピラミッドを上から見た図形でもあります。

具体的には、巨大な球体の中に、お尻合わせになった2つのピラミッド（正八面体）が収まっている構図を想像してみるといいでしょう。現実のピラミッドには、どんな役割があって、何を意味しているのか、考古学の世界では現在でも議論が続いていますが、私はきっと、古代人はフトマニの構造を知っていたのだと思います。つまり、ピラミッドとは、宇宙のエネルギーと地球の内部からのエネルギーを集めて放射するための装置だったのではないでしょうか。ピラミッドの地下には逆さピラミッドが隠されているのかもしれません。

第4首

滅びゆく肉体こそが神である

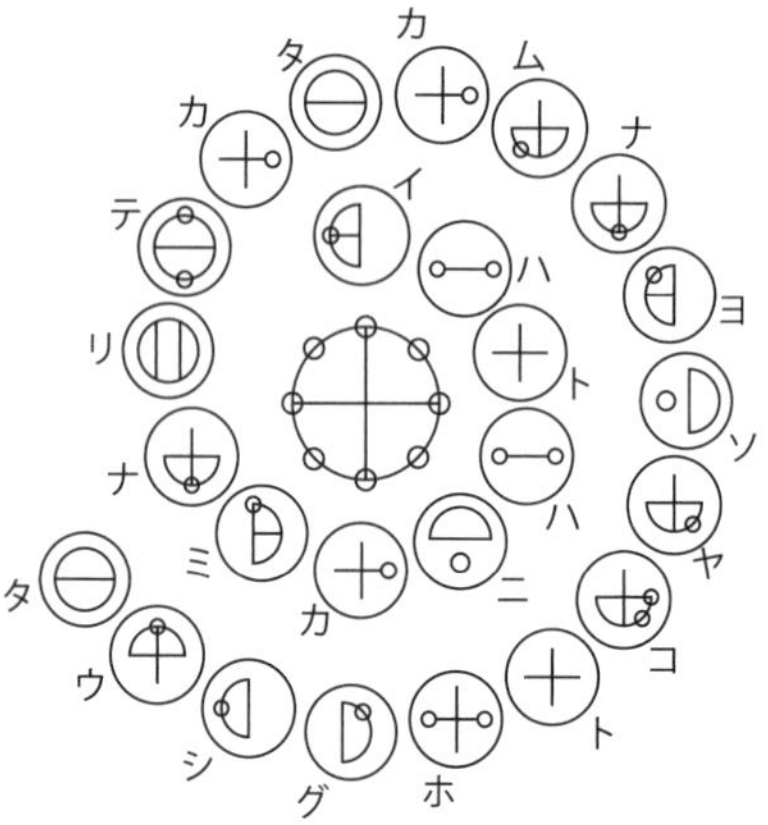

第4首の中心図象はヤタノカガミです。したがって、生命の永遠循環であるトーラスのことについて説明しています。そして同時に、この第4首にはもうひとつの大きな役割があり、それは、後に続く第5首と第6首についての前書きの役割を担っているのです。

言葉訳：身体や現象界を作り出す「陰」は永久に神なのです。そのことを、カタカムナの

48の言霊をひとつひとつほぐしたウタでお伝えしましょう。

思念訳：陰に陽が引き合って統合し（イハト）、引き合う圧力が（ハニ）、力の実体の核から（陰陽を）離し（カミナリ）、発信放射させる（テ）。カタカムナから、陽のエネルギーが外れ切ると（ヨソヤ）、また、転がり入って統合する（コト）ために、引き離れたもの（核）に引き寄せられ、示しが生まれ出て分かれる（ホグシウタ）。

解釈：陰とは目に見える形を持っている物質とか肉体のことで、その陰＝肉体こそが永遠に神なのだということを、第4首では言っています。

「イハトハニ」という陰の描写、「陰が反対に引き合い、統合し、また反対に引き合い、圧力を受ける」という思念の動きをイメージしてみると、陰という身体は脈動していると感じます。

その脈動する身体こそ、永遠に神だというのです。

肉体は滅びます。その滅び去るものが永遠に神であるというのです。なぜかというと、エネルギーは永遠に不変ですが、滅びる肉体と合わさってこそ、初めて脈動する命を生み出すことができるからです。

エネルギーそのものでは何も生まれません。滅び去る肉体に入って脈動してこそ、そこから48音の言霊のひとつひとつがほぐされて、振動を現象世界に出現させられるのであり、したがって、滅びるものこそ永遠の命を輝かせるものだというのがカタカムナの考え方なのです。

普通、私たちがイメージしているものとは逆です。私たちは、永遠なるものが神だと思っていましたが、そうではない、逆なんだとカタカムナは言っています。

天照大御神は三貴子（ミハシラノウズノミコ）の中でもっとも尊い神ですが、実は、天照大御神だけでは実体は維持できません。これは、伊勢神宮に行くとわかります。天照大御神を祀《まつ》っている内宮のそばの外宮には、豊受大御神《トヨウケノオホミカミ》が祀られています。2柱の神は必ずペアになっています。豊受大御神は天照大御神の食事を司《つかさど》る神です。つまり、陰の天照大御神にエネルギーを与える陽の役割を担っていらっしゃる神なのです。天照大御神は実は、現象化する言霊の容れ物（陰）で、豊受大御神の陽の振動エネルギーと統合して「太陽（タイヨウ＝分かれた陰と陽〈言霊〉を生み出すもの）の神」として日本の中心にお祀りされているのです。

前の章で、尊い神を表す「命（ミコト）」を思念で読むと、「肉体を持ったものが神である」という意味になると説明しました。神とは肉体を持った人間であるということなのですが、第4首のウタヒで言っているのも、まさに、このことなのです。

もし、滅びないエネルギーこそが神であり、肉体は何の価値もないエネルギーの容れ物にすぎないと見ると、実は、恐ろしいことが起きます。肉体は借り物なんだから、粗末に扱っても、いくら壊してもいい、戦争でも人殺しをしても、大した罪にはならないということになりますね。今までの人間の歴史が、血塗られた殺し合いの世紀となったのも、実は「永遠の神」を最高神として、人間をその支配下に置く考え方が招いた結果なのです。

エネルギーは、確かに滅びないし、壊れないけれど、それだけでは何も起きない永遠の無です。生き物が、滅びる肉体をまとって、この世に生まれてきているからこそ、生きる喜びがあり、生の時間が限られているからこそ、短い一瞬一瞬が光り輝くのです。

滅びゆく肉体を神と見ることで、世界は平和になります。それはもっとも命を尊ぶ世界です。生命の讃歌を思いっきり歌おう！　滅びゆく儚い命だからこそ、一瞬一瞬を大切に生きなければならないという、命を慈しむ世界を作り出すのです。

よく見ると、日本の神道は、滅びゆく肉体を御神体としている場合が多いのです。真実はすでに忘れ去られている場合が多いのですが、多くの神社が「鏡」を御神体としていますね。それは、神社にお参りに来た参拝者たちが、もっとも貴い神にお参りしようとして御神体をのぞくと、鏡は滅びゆく自分の肉体を写し出しているというわけです。実は、神社でお参りしている対象は、自分の命なのです。

とてもヒューマニズムな世界観だと思いませんか。世界のみんながこの視点に立てば、戦争や争いなどでお互いに傷つけ合うことの愚かさを、思い知るでしょう。そんなことをしている暇はない……と言い出すでしょうね。

そして、もうひとつ重要なメッセージがこの第4首にあります。

第4首は、次に続く第5首、第6首の〝前置き〟になっているのです。「48の音をほぐして歌う」というくだりは、「イハトハニ」と命が脈動することで48音がひとつずつほぐされて、言霊となって現象化することを表現しているのです。最後に思念訳を見るとわかりますが、「イハト＝石屋戸」から「カミナリ＝雷」が発信・放射する（テ）と書いてあるのが読めますね。

第5首と第6首は特別なウタヒ

全部で80首あるカタカムナウタヒの中で、もっとも重要とされるウタヒが第5首および第6首です。

第4首に、「ヨソヤコト、ホグシウタ」とあります。つまり「48音をほぐして伝える」とあることから、第1首のウタヒを第5首と第6首にほぐして伝えるとも読めます。2つのウタヒは中心図象が同じです。第2首を合わせたときの総文字数は53文字ですが、第6首の最終節「カタカムナ」をいわゆる結語の扱いとみなし、除外してカウントすると、ひとつのダブリもなく48文字が使われています。つまり、この2首のウタヒは48声音符をすべて使って純粋に作られた特別なウタヒなのです。

この第5首と第6首は非常に重要で、また、複雑な意味を持っているので、1首ずつではなく、1節ごとにひもといて言葉訳、思念訳、意訳で表し、最後に、1首ごとにまとめて解説します。

第5首

第5首は「生み（産み）の実態」を表す

言葉訳：ヒー、フー、ミー、ヨー、イー（1、2、3、4、5）とは、数字を数えているのであり、言葉になっていません。この数字は「イチ・ニイ・サン」という数字とは違い、宇宙の10次元を表しています。つまりここは「1次元から5次元」という意味になります。

思念訳：根源から出て（ヒ）、増えて（フ）、実体となり（ミ）、新しい陽のエネルギーができて（ヨ）、陰と陽が誕生する（イ）。

意訳：根源（ヒ＝超ヒモ）の揺らぎが、増えて（フ）2次元の平面になり、（ミ）3次元で、実体（光）が出現する。常に新しい（ヨ）4次元の陽エネルギー（トキ）が、（イ）陰の空間（＝5次元）に充電され、伝わるもの（陰陽粒子）が誕生する。

第2節　マワリテメクル

言葉訳：まわってめぐる。

思念訳：受容が（マ）調和して（ワ）離れたものが（リ）、発信・放射し始め（テ）、指向するほうへ（メ）と引き寄り（グ）、それらを留める（ル）。

意訳：陰陽粒子は、需要を受容するため（マ）、自転し始め（マワリ）、受け取ったものを調和する（ワ）。そして分離し分極して（リ）、発信・放射し始める（テ）。指向するものへと磁極が傾き（メ）、その周りを循環公転（メグル）し始める。お互いの必要物を引き寄せ、重合し、互換し（グ）、それぞれにそれらを留める（ル）。

第3節　ムナヤコト

言葉訳：ムー、ナー、ヤー、コー、トー（6、7、8、9、10）と数字を数えているので言葉になっていません。これは宇宙の「6次元から10次元」という意味になります。

思念訳：広がりから（ム）核へと（ナ）飽和して（ヤ）、転がり入り（コ）、統合する（ト）。

意訳：〈第2節「マワリテメクル」を受けて〉発信・放射の（ム＝6次元）広がりから、陽子や中性子が統合して「核」をつくり、電子が結合して原子となり、原子が集まり分子となり、物質の、（ナ＝7次元）核ができる。物質が7の周期で寿命を消費する。7を超えて寿命の（ヤ＝8次元）飽和数を超えると、核を目指してブラックホールに（コ＝9次元）転がり入り、新たな空間〈陰〉が新しいエネルギー〈陽〉と（ト＝10次元）統合し、徐々に大きな物質へと成長していく。

第4節　アウノスヘシレ

言葉訳：生命が（ア）生まれる（ウ）術を知れ。

思念訳：感じる生命（ア）が生まれ出て（ウ）時間をかけ（ノ）、一方方向に進み（ス）外側までできた（ヘ）示しが（シ）消失する（レ）。

意訳：（統合すると、）生命・物質の、感じるココロ〈＝生命〉が（ア）生まれ出て（ウ）、時が経つ（ノ）方向に進行し（ス）、寿命を迎え外側の（ヘ）、示し（シ）が崩壊し、死を迎え、ココロ〈＝生命〉は現象界から消失する（レ）（ここでは、初めてココロが生まれ、生物となりそれが最初の死を迎えるところが描写されている）。

第5節　カタチサキ

言葉訳：（陰と陽に身体と魂の）カタチが割かれる。

思念訳：チカラが（カ）分かれて（タ）凝縮し（チ）、遮られた（サ）エネルギーとなる（キ）。

意訳：消失した生命・物質のチカラ（カ）が分かれて（タ）、凝縮した（チ）遮り〈＝バンアレン帯〉の中に（サ）そのエネルギー＝気（キ）を保ち、バンアレン帯の電子や陽子の層の中に分かれて漂うものとなる。

ちなみに、カタカムナでは「バンアレン帯」とは書いていません。「凝縮した遮り」というのは、地球を覆う電磁場圏であるバンアレン帯のことではないかというのは私の推測ですが、思念読みをするとその意味がわかります。

「バンアレンタイ」を思念で読むと「大きく引き離れた（バン）生命（ア）が、まったく消失して（レン）、分かれて伝わるところ（タイ）」となります。肉体と魂とが死によって分かれた生命体は、生命が消失して電子や陽子や素粒子となって、その遮りの中にエネルギーが、分かれて伝わるところがバンアレン帯だと読み解けるのです。バンアレンというのは、発見者の名前ですが、その名前が実は「発見物」の本質を伝えています。氏名が使命を表している所以《ゆえん》です。

第5首が表している内容は、地球が誕生してから次元上昇し、最初の命が生まれるまでの、生み（産み）の実態です。

第1節のヒフミヨイでは、1次元から5次元までの説明で、根源から出たもの（ヒ）とは、いわゆる超ヒモ理論の「ヒモ」のことです。ヒモが震えて振動して2次元になり、それが渦を巻くと光の3次元になります。エネルギーの渦ができると、その中で電気、磁気、力が生まれて渦を巻き、電磁波が発生して、引き込もうとするチカラが生まれます。こうして、複雑なトーラス構造の4次元の動きが発生し、その4次元の動きが陰という空間をつくります。つまり、エネルギーの陽と、空間の陰が合わさることで、陰陽粒子（物質）が誕生するわけです。ここまでが第1節です。

次に、マワリテメクルのところにくると、第1節のところで、5次元まできて、陰陽粒子という物質ができました。すると、陰と陽の違い・差ができるので、自然に回って巡り始めます。粒子が中心核を回り続けることによって、他の粒子を引き寄せてだんだん大きな原子や分子になります。ここまでが第2節です。

次に、第3節のムナヤコトで、6次元から10次元までを表します。第2節で粒子が回って巡る循環ができると、やがてその広がりの中に原子核ができます。核ができると物質は安定しますので、寿命が尽きるまで循環を繰り返します。そして、寿命が尽きると飽和して朽ち果て、ヤタノカガミの中に入って消失します。まだ生命に満たない原初的な物質が初めて宇宙空間に生まれ、それが消滅するまでの1クールを言っているのです。ここまでが第3節です。

次に、第4節、アウノスヘシレで、やっと生命体が誕生します。なぜかというと、ここで初めて「ア＝感じる・生命」が出てきます。このときの生命体は、ごく原始的な生命体で、私たちがいま生命と認識しているものではないかもしれません。そういったものが時のたつ方向に生まれ出て、やがて寿命を迎えて死に至ります。先ほどは物質でしたが、今度は生命体になって2クール目の消滅を迎えます。ここまでが第4節です。

次に、第5節、カタチサキでは、第4節の最後で消滅した生命が、肉体が滅び、消失した生命体は、形を割かれ、遮りの中に分かれると言っています。遮りの中とはどこでしょうか？　私は地球のバンアレン帯のことだと思っています。バンアレン帯の中で消失したエネルギーが形を割いて分かれて、エネルギーを保つ塊になると言うのです。

生命は死んで終わりではなく、肉体とエネルギーが離れると、それらを構成していた粒子に分かれて、地球の電磁場圏のどこかにとらわれて、エネルギーとして漂うことになるわけです。

まとめると、第5首では、地球の創生から原初の生命が生まれて亡くなるまでを言っています。カタカムナでは、物質が誕生して消滅するまで、物質から生命になって消滅するまで、それぞれ1クールでしか説明していませんが、おそらく、それぞれの循環を何度も繰り返すことによってだんだんと進化していくのだと思います。

第6首

第6首は「人間の誕生」を表す

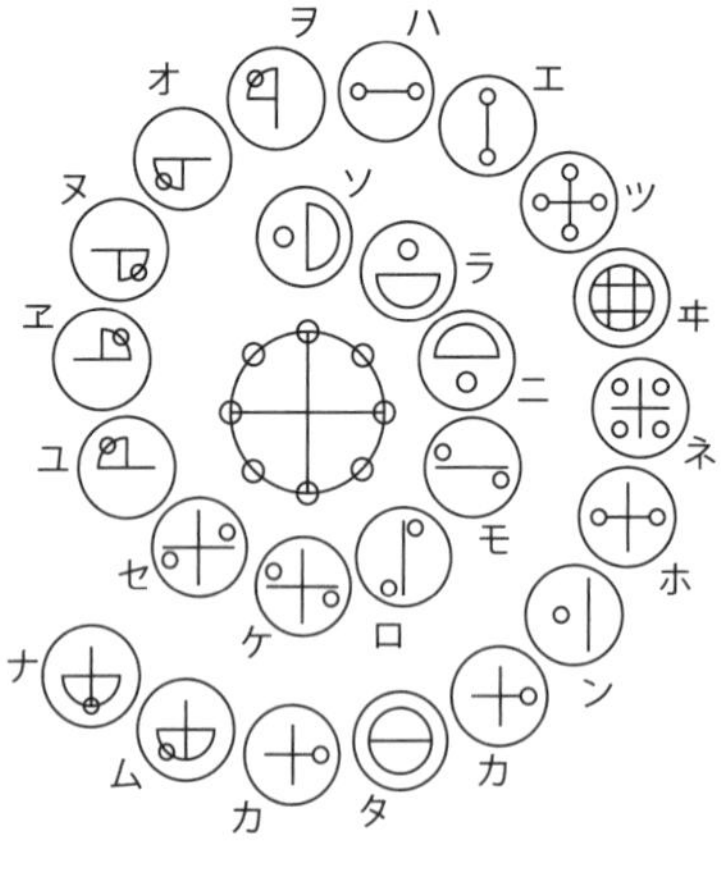

第1節　ソラニモロケセ

言葉訳：空にもろけせ。

＊「もろけせ」は現在の日本語では読み解くことができません。おそらく古代には存在した言葉、言い回しが現在では失われているためでしょう。

思念訳：外れた（ソ）場（ラ）に圧力を受けて（ニ）漂う（モ）空間となり（ロ）、放出されると（ケ）引き受けられる（セ）。

意訳：地上から外れた空の場に圧力を受けて収縮し、漂う空間となる（ソラニモロ）。その空間からエネルギーが放出されると、地上に受け取られる（ケ・セ）とは、バンアレン帯から、生命の種が放出されて、人間の精子の中へと受け取られることを示しています。人「ヒト」とは、ヒ（1）から、トウ（10）、つまり、1次元から10次元までを持ったものという意味で、その人間が生まれるくだりを解いたものだと思われます。

第2節　ユヱヌオヲ

言葉訳：ゆえあることである。

思念訳：湧き出したものが（ユ）、届くと（ヱ）、突き抜けて（ヌ）、奥深く（オ）へと進み、奥深くに出現する（ヲ）。

意訳：空から「命の種」を受け取った（ソラニモロケセ）精子が湧き出すと（ユ）、卵子に届き（ヱ）、殻を突き抜いて（ヌ）、子宮に着床した卵子の奥深く（オ）へと進み、生命体として命を出現させる（ヲ）。性行為によってその精子と卵子が統合し、子宮内部に生命体となって宿ることを描写しています。

第3節　ハエツキネホン

言葉訳：生えついねほん。

＊「イネホン」も現在の日本語では読み解くことができません。おそらく古代には存在した言葉、言い回しが現在では失われているためでしょう。

思念訳：引き合い（ハ）、うつり（エ）、集まって（ツ）、存在となり（ヰ）、生命力が充電されて（ネ）、大きな力で引き離される（ホン）。

意訳：DNAが、引き合い（ハ）、転写されてうつり（エ）、タンパク質が集合して（ツ）、生命体として存在が示されれ（ヰ）、命のチカラが充電されると（ネ）、大きな力で引き離されて、「ポン」とこの世に誕生する。子宮内部で、胎児として成長し、陣痛の押し出す力によって、この世に誕生する場面が描かれています。

第4節　カタカムナ

言葉訳：それらは、カタカムナから生まれ出ている。

思念訳：〈これらヒフミ48の声音（振動）が〉、現象界のチカラが分かれたもの（カタ）と、潜象界の力の広がりの（カム）の核（ナ）から生み出されている。

意訳：超ヒモ状態の素粒子から次第に大きな物質へ、そして、生物となって死を迎えた後に、地球の電磁場圏にとらえられて留まり、やがてその生命の種は、光とともに放出されて人間の精子の中に生命体となって宿り、卵子と統合して胎児となり、成長して無事にこの世に誕生する。この世の始まりから人間として生を受け、誕生するまでの過程が、48音の言霊で表されています。そしてその振動が、言霊となって、カタカムナの核から出ているというのです。まったく壮大なストーリーが、カタカムナ48音に語られています。そうして生まれ出た人間によって、48の音（振動）が発せられ、その人の思いは現象化していくのです。たった48文字の中に秘められた宇宙です。

第1節のソラニモロケセは、「地上から離れた空の場に圧力を受けて凝縮し漂う空間」という意味です。これは、第5首のところでも説明したように、肉体が消失していったん小さな粒子に分かれたエネルギーが空に放出され、地球を覆う宇宙空間に存在するバンアレン帯に留まっている状態のことです。そして、漂う空間からエネルギーが放出されると地上で受け取るとなっています。空間に漂っていたエネルギーがなんらかのきっかけで放出されると同時に、地上でそのエネルギーを引き受ける仕組みが作動するようです。ここまでが第1節です。

次に、第2節、ユヱヌオヲでは、地上に降り立ったエネルギーがふたたび肉体をまとった生命に戻るくだりですが、ここで「湧き出て届く」のが、おそらく生命の元である精子のことであると考えられます。命の元である精子は空から光として放出された「命の種」を受け取ると、生殖器から湧き出して子宮に到達し、卵子の殻を突き抜け、子宮の奥深くに生命を出現させます。ここで初めて、雌雄の分かれた生命体の統合によって生まれるタイプの高等生物が誕生します。しかしこの高等生物とは、ここでは人間を指しています。なぜなら、このくだりは、第5首・第6首で語られる48音の中の最後の描写であり、人（ヒト）とは、第5首で語られている「ヒ」から「ト」までの10次元を持った存在を示しています。そして人間だけが、高等生物の中で、48声音を生み出すことができるからです。

ここまでが第2節です。

第3節、ハエツキネホンで、統合した精子と卵子の受精卵のDNAが引き合って、染色体に転写され、必要なタンパク質が集められ、肉体が生まれ、存在が示され、エネルギーがチャージされると、大きな力（陣痛）でポンと引き離されて新しい命がこの世に誕生します。ここまでが第3節。

最後の第4節の「カタカムナ」が表すものは、第5首第1節から第6首第3節の通りに、ヒフミ48の振動によって現象化が起こり、エネルギーと空間が統合した言霊が、カタカムナの核から生み出されて消滅する循環を繰り返している。それが生命の本質なのである、という意味になります。

第6章

歌や物語に込められた本当の意味を知る

カゴメカゴメ／君が代／古事記／あわのうた(天地の歌)

カゴメの歌に込められた真実

ここからは、いろいろな歌や物語に隠された神秘の物語を、思念で読み取っていきたいと思います。

最初は、カゴメの歌です。

「カゴメ、カゴーメ」という童歌は、とても不思議な歌ですね。「夜明けの晩に」とか「鶴と亀がすべった」とか、「後ろの正面、だーれ」など、普通では想像もつかない歌詞が、連なっています。歌に込められたその深い意味も知らず、子供たちは大昔から、友だちとこの歌を歌い、昔のゲームを楽しんできたのでした。

そして、この歌詞の神秘性ゆえにスピリチュアルの世界では、この歌の解釈がいろいろとなされてきました。意味不明な言葉こそ、思念読みの出番です。その歌を歌うときの状況が想像できれば、思念で読み解けるのです。早速、挑戦してみましょう！

かごめ、かごめ
籠の中の鳥は、いついつ出やる
夜明けの晩に　鶴と亀がすべった
後ろの正面だーれ

第1節

歌詞：カゴメ、カゴメ

意訳：屈め、囲め

＊別解釈では「囲め、囲め」または「屈め、屈め」

思念訳：チカラが（カ）、転がり入って（ゴ）、芽を出すもの〈受精卵〉よ（メ）、チカラが（カ）、転がり入って（ゴ）、芽を出すもの〈受精卵〉よ（メ）、

＊この思念訳では、視点を子宮の内側に置いています。外から見ると、「（カ）チカラが、（ゴ）転がり出ようと、（メ）指向するものよ」と読めます。どちらも視点が違うだけで同じものを示して

います。

解説：歌い出しの第1小節では、「カゴメ、カゴメ」と2回繰り返しますが、同じことを言っているとは限りません。この遊びは、中心の子が目をつむって屈んでいるところを、他の子供たちが輪を作って取り囲みます。中心の子に、「屈め、屈め」と言っているのか、それとも、中心の子をみんなで「囲め、囲め」と言っているのか、あるいは、その両方の「屈め、囲め」なのか、3パターンのいずれかでしょう。

では「カゴメ」が示唆する、「チカラが転がり入って芽を出すもの」とはなんでしょう。生命が宿ってまさに生まれようとしている受精卵のことではないかと思います。中心の鬼役は受精卵を表現し、周りを取り囲む子供たちは子宮を表しています。

第2節

歌詞：カゴノナカノトリハ

意訳：囲んだ中に入っている生命体は

思念訳：チカラが（カ）転がり入って（ゴ）時間がたち（ノ）核の（ナ）チカラが（カ）時間をかけて（ノ）統合したモノを（ト）離そうと（リ）引き合っている（ハ）。

解説：「囲んだ中」というのは、命を包んでいる子宮の中という意味です。「力が転がり入って時間がたち」とは、お母さんのお腹の中で、受精卵が成長して、という意味。赤ちゃんが生まれるまでには、約十月十日かかります。「トリ」とは、「精子と卵子が統合して（ト）、離れる（リ）もの」という意味で、まさしく臨月の胎児ですね。「核の力が」とは、子宮の力が、そして、「時間をかけて統合したものを離そうと引き合っている」とは、まさに陣痛が始まって、数時間かかる出産の準備に入った様子です。

第3節

歌詞：イツイツデヤル

意訳：何時何時生まれ出るのだろうか

思念訳：伝わるもの＝胎児の「意識と身体」が（イ）、集まり（ツ）、さらに伝わるものが（イ）、集まって（ツ）、子宮の内側に発信・放射し（デ）、飽和して（ヤ）、留まっている（ル）。

解説：「伝わるもの」とは、胎児の身体ができてきて、意識が生まれてきた状態です。「イツイツ」とは、身体が大きくなり、意識が次第にしっかりしてきて、「デヤル」で、子宮内部が狭くなり、外の世界に出ようと発信・放射しながら、出産の瞬間を待っている状態です。

第4節

歌詞：ヨアケノバンニ

意訳：陣痛が始まって夜が明け、その日の晩に

思念訳：新しい（ヨ）生命の（ア）放出のために（ケ）、時間をかけて（ノ）反対側に強く引き合い（バン）圧力がかけられる（ニ）。

解説：「新しい生命の放出」とは、つまり出産の準備が始まったのです。それが「夜明けの晩に」ということは、陣痛が夜明けに始まり、その日の晩ぐらいに、いよいよ出産が始まったと読み解けます。圧力がかけられる（ニ）とは、陣痛のことです。「言葉」と「思念」は引き合っています。この2つは、原因を作っている内側の世界と、結果として表れている外の世界を、同じ言葉で同時に表現したものなのです。まさに言霊のパラレルワールド、内と外が引き合っていることを理解しながら読みとくことが必要です。

第5節

歌詞：ツルトカメガスベッタ

意訳：へその緒がついた大きくなった胎児と子宮内部が滑って分かれた

思念訳：集まり（ツ）留まっている（ル）統合物（ト）と、チカラ（カ）が指向する（メ）内なる力が（ガ）、一方方向に進んで（ス）外側へと（ベ）集まって（ツ）、分かれた（タ）。

解説：胎児をつなぐ「へその緒」が、「子宮内部」から滑って分かれたという意味です。鶴とは、「弦（ツル）」を意味し、胎児をつなぐ弦（ヘソの緒）は、まるで鶴の首のように見えるはずですね。また、「亀」とは「逆さに伏せた瓶（カメ）」のことで、子宮そのものを表しています。ギリシャ文字の「Ω（オメガ）」のような形ですね。ちなみに「Ω」も子宮の意味を持っている文字だと思います。いよいよ、赤ちゃんが、子宮から下がって生まれ出ようとしています。

第6節

歌詞：ウシロノシヨウメンダーレ

意訳：子宮の後ろ（下）の出口から顔を出したのはだーれ？

思念訳：産み出すことを（ウ）示す（シ）空間〈子宮〉と（ロ）、それが時間をかけて（ノ）示した（シ）、新しく（ヨ）生まれ出ようと（ウ）強く目指すモノ〈胎児〉が（メン）、向う側へ分かれて（ダ）、〈子宮内部から〉消えるよ（レ）。

解説：「産み出すことを示す空間」とは子宮のこと。「それが時間をかけて示した」とは、「子宮が十月十日の長い妊娠期間を経て育て上げた」という意味。「新しく生まれ出ようと強く目指すもの」とは、もちろん、狭い産道をくぐり抜けて誕生しようと全力を尽くしている胎児です。「ダーレ」で、向こう側へ分かれて、子宮内部から消失した。ということになります。思念読みでは、とっても不思議ですが、すべて内側の見えない世界での視点で表現されるのです。そして、言葉の世界では、「さあ、新しく生まれ出てきた赤ちゃんはどの子供だったでしょう?」と真後ろにいる子供の名前を鬼が当てて遊ぶという童歌になっています。

生命が精子と卵子の統合によって生まれ、十月十日、お母さんの子宮ではぐくまれ、陣痛という圧力と痛みに、母子ともに耐えて、命を懸けてこの世に生まれ出てきた……だから私たちは、今、こうして生きているのですね。まさに生命の誕生ほど、尊厳なるドラマはありません。「有難い！」の一言です。この真実を感じれば、人間は正しく生きていけるのではないでしょうか。

この歌の意味は、思念で読み解く以外なかなかわからないものですが、昔の子供たちは、このゲームで楽しく遊びながら、言葉の裏の思念の振動数を、無意識の中に感じ取って育っていたのでしょう。このゲームが、ふたたびこれからの子供たちによって遊ばれ、語り継がれていきますようにと心から願います。

そして、実は、思念は宇宙の法則を表すものですから、人間の誕生だけではなく、すべての生命、すべての物質、すべての事象が、この描写と同じように生まれ出てきていることを示しているのです。

「君が代」は地球創生の物語だった

日本の国歌、「君が代」は、10世紀に編纂された『古今和歌集』がベースとなって、明治時代に曲がつけられたということが定説となっていますが、実は、沖縄の久米島の神歌に元歌があったとも言われています。久米島の元歌は「君が代」と「神が代」が対歌となっているそうです。

日本が侵略戦争を行った国であるという視点から、「君が代」は、どちらかというと反平和主義で、天皇中心主義をうたっているとして、戦後の教育の中で、否定的にとらえられてきました。

しかし、この歌を思念で読んでみると、驚くべき平和の理念が浮かび上がってきます。たった32声音の言葉の奥に秘められた、本当の「君が代」の姿を知ることは、日本国民としてだけではなく、地球上に生きる人間として大事な意味を持っていると私は思います。

君が代は　千代に八千代に　さざれ石の
巌《いわお》となりて　苔《こけ》の生《む》すまで

第1節

歌詞：キミガヨハ

意訳：あなた方（＝私たち）の時代が

思念訳：気（光の内なるエネルギー＝イザナギ）と、実（光の波動＝イザナミ）の、内なる力（ガ）が、新しく（ヨ）引き合う（ハ）。

解説：日本の神話は「天地の始まり」と「神々の誕生」から始まっています。つまり、「キ・ミ」とは、その天地（地球）を作ったとされる夫婦神「イザナギ」と「イザナミ」のことを指しているのです。この地球創造の「光の中に秘められたエネルギー（キ）と光の波動（ミ）」の力が、新しく引き合うことにより、この世は成ったという意味です。「ガ」と濁音がつくと、思念は「内なる力」という意味になります。

第2節

歌詞：チヨニヤチヨニ

意訳：いついつまでも、続きますように

思念訳：凝縮（チ）の新しい（ヨ）圧力（ニ）が、飽和（ヤ）し、さらに凝縮（チ）の新たな（ヨ）圧力（ニ）がかかる。

解説：地球の中心に向かって、ギュウギュウと圧力がかかり、その上からまたさらに新たな圧力がかかって、地球をひとつの天体へと凝集していく過程が描写されています。

第3節

歌詞：サザレイシノ

意訳：小さな小石が

思念訳：外側の遮り（サ）と、内側の遮り（ザ）が、消失して（レ）、伝わるもの（イ＝電子）の、示し（シ）が、時間をかける（ノ）。

解説：「サ」とは外側を遮ること。「ザ」とは内側を遮ること。外と内の遮りが消失して（レ）とは、地の凝結が進んで、地球がひとつの石となっていく……つまり地球生命体が「意志」を持つ過程を表しています（同音異義語は同じ本質を持つ）。物質のすべては原子でできています。その原子の形を作っているのは外側を回る多くの電子です。伝わるもの（イ）とはその電子のことを言っています。電子の働きにより、物質ができることを「示し（シ）」といい、その過程が長い時間を伴うことを「ノ」で表しているのです。

第4節

歌詞：イワヲトナリテ

意訳：次第に大きな巌となるまで成長して

思念訳：伝わるもの（イ）が、調和（ワ）し、奥深く（オ）、統合（ト）して、核（ナ）となり、分離分極して（リ）、発信・放射する（テ）。

解説：伝わるもの（電子）同士が、調和を生み出し、奥深い中心部が統合して地球の核ができると、N極とS極に分離、分極して、核から発信・放射を始める。というのは、地球が核を持ち、NとSの二極を持つことによって、トーラスの発信・放射を始めたことを表していきます。その見えないエネルギーの循環が、大気圏や電磁場圏をつくっていきました。こうして、地球自体が生命体となることで、その上にたくさんの生命を育む準備ができたことを表しています。

第5節

歌詞：コケノムスマデ

意訳：何事もなくその周りに苔が生すまで、どうか平和であり続けますように

思念訳：〈電子が核に〉転がり入っては（コ）、放出されて（ケ）、時間をかけた（ノ）広がりが（ム）、一方方向へと進む〈時間＝自転・公転〉（ス）受容〈地球生命〉は（マ）、地球の核から発信・放射し続ける（デ）。

解説：転がり入るもの＝電子、広がり＝大気圏と電磁場圏（トーラス）、受容＝地球という生命の容れ物、軌道＝自転軌道・公転軌道（時のうつり変わりを示す）。

電子などが、地球の内部から、転がり出て、放出され、徐々に広がり、自転・公転する地球を包み込む。そして、エネルギーの容れ物である地球の内部へとまた発信・放射され戻される。そのように地球は永続的に自転・公転しながら、生命を育む容れ物として、地球エネルギーがトーラスの循環運動を続けている様子が描かれています。地球が自転することで一日が過ぎ、公転すると一年が過ぎます。こうしてできた地球がいつまでも発信・放射し続けますようにと歌は終わっています。

おわかりのように、この歌は天皇を賛美している歌ではなく、地球の創造を表したものであり、このように、イザナギとイザナミの力で作られた地球が、いつまでも平和で何事もなく、ずっと生命のゆりかごとして続きますようにという祈りを込めた歌なのです。軍国主義の象徴とは真反対の世界の平和を祈る歌なのです。そして、その地球の意志とは、「命を育む」というものです。言葉上の意味は、ひたすら「平和でありますように……」と述べています。その裏で、思念読みは、ひたすら凝縮を繰り返し、圧力に耐えた地球の創生が語られています。この言葉と思念の意味は同じものの表と裏を表しているのです。つまり、地球創生の目的、「地球の意志」とは、その中に「命を育むぞ！」という意志だったのです。

私たち日本人は、この深い意味を知らずとも、「君が代」を日本の国家として歌い続けてきました。この歌を国歌とする日本は、一国の平和のみではなく、世界の平和を目指すべきだと「君が代」は語りかけているのです。

『古事記』から読み解ける宇宙の神秘がある

日本の創生神話として伝わる『古事記』ですが、本当に日本の古い伝説のお話なのでしょうか？

前項でお話ししたように、「君が代」は天皇をたたえた歌ではなく、実はイザナギとイザナミによる地球創生の物語が隠されていました。

ご存知のように、イザナギもイザナミも『古事記』に登場する創造神です。

したがって、『古事記』もまた、日本列島という小さなスケールの話ではないと思われます。

楢崎皐月氏が、カタカムナ文字を読み解く大きな手がかりとされたのも『古事記』でした。『古事記』の上つ巻にある、神代から天石屋戸の物語のところまでのくだりに出てくる神様の名前が、カタカムナウタヒ80首の中にほとんどその順番で描かれているということを発見したことで、カタカムナ文字を読み解くきっかけとなったのでした。したがって、『古事記』を読み解けばカタカムナの謎も解読できることになります。

きっとこの書は、宇宙の神秘について書かれているはずだ。そう思って読み解いてみたら、驚くようなことがいろいろとわかりました。

ここからは、『古事記』のエピソードを題材に、思念読みによって解明された宇宙と生命の神秘についてひもといていきましょう。

神道の中でももっとも尊い神で、『古事記』全3巻（上つ巻、中つ巻、下つ巻）の中でも上つ巻の主人公となっている三柱の神、天照大御神《アマテラスオホミカミ》、月読命《ツクヨミノミコト》、建速須佐之男命《タケハヤスサノヲノミコト》は、いずれも創造神であるイザナギ自身から生まれ、三貴子と書いて、「ミハシラノウズノミコ」と読みます。

なぜ日本でもっとも尊い神が三柱なのか、なぜ「ミハシラノウズ」なのか、なぜ天照だけは命《みこと》ではなく大御神なのか、なぜ荒ぶる神である建速須佐之男命が三貴子の一柱に列せられるのか、『古事記』を読み解くとそのすべてがわかります。

ここで、特に取り上げたいのが、三貴子が誕生し、イザナギによってそれぞれの治める国が命じられるまでのくだりです。

重要なところだけを抜き出して思念で読んでみましょう。

いったいどんな本質が隠れているのでしょうか。

天照大御神、月読命、建速須佐之男命の誕生ストーリー

※『現代語古事記』（竹田恒泰著／学研）を参考に要約

現代語訳：

（イザナギが）最後に顔をおすすぎになりました。左目をお洗いになったとき、天照大御神が、右目をお洗いになったときは、月読命が、鼻をお洗いになったときに、嵐の神で、勇猛迅速に荒れすさぶる神である、建速須佐之男命がお生まれになりました。

思念と文字による訳：

左目からアマテラスがお生まれになった意味は、「左」の漢字を分解しながら読み取るとわかります。「左→ナ（核）のエ（エネルギー）を目（メ）指向するもの」。と読めます。ここからアマテラスオホミカミは、エネルギーを求める「空間＝身体（陰）」の神であることがわかります。

次に、ツクヨミノミコトが右目から生まれた理由は、「右目」を同じように分解して読み解くと、「右→ナ（核）の（ロ）空間をメ（目）指向するもの」と読み解け、空間に入りたい「陽のエネルギー」であることがわかります。陽とは生命エネルギーのことです。

最後に「鼻」から生まれたスサノヲの、「ハナ（引き合う核）」とはつまり、2つの逆渦の中心にできる核の空間（カタカムナ）を表しています。鼻は、呼吸をするたびに、出る息と入る息が荒れすさぶ空間です。スサノヲが嵐の神で、荒れすさぶる神というのもうなずけます。しかし、「鼻」は、生命維持の根幹をなす「核」とも言えます。なぜなら、呼吸が止まれば、人間は生命を維持できなくなるからです。

解説：天照大御神が「陰の神」であり、日本の最高神として祀られているということは、カタカムナウタヒ第4首で、「イハトハニ　カミナリテ」と「陰が永遠に神である」と歌われているとおりです。生命体の陰とは、その空間に必ず「陽の生命エネルギー」をたたえており、天照大御神は「陰陽の神」となっています。同時に「太陽神」でもあるのです。「太陽神」を読み解くと次のようになります。「分かれた（タ）陰（イ）と陽（ヨ）を生み出す（ウ）神」。陰陽とは言霊のことであり、生命を振動させるものです。天照大御神は、私たちの命の核から言霊を生み出す、セントラルサンであり、放出される言霊の光そのものなのです。

月読命は、陽のエネルギーで、肉体を持っていないので、単独では現象化できません。これが、それ以後、『古事記』には物語として語られていない理由です。そして、神ではなく「ミコト（命）」なので、カタカムナの核の中で私たち人間の生命エネルギーとして命を維持してくださっています。人間の「心臓」や「肝臓」などの臓器に「月」ヘンが付くのも、月読命のエネルギーを頂いているからだと思います。

天照大御神に言霊の陽のエネルギーを供給される方は、豊受大御神です。伊勢神宮の外宮で、毎日、食事を提供されているということは、食事はエネルギーを作るものですから、天照大御神の陽のエネルギーとしてその中に統合されています。だから天照大御神と豊受大御神は内宮と外宮として、一対となっているのです。

最後に、須佐之男命ですが、「タケハヤ　スサノヲ（ヲはカタカムナウタヒの記述に従っています）」を思念で読むと、「分かれて（タ）放出する（ケ）2つの引き合うものが（ハ）飽和し（ヤ）、一方方向に進む渦の（ス）遮りが（サ）、時間をかけて（ノ）奥に出現したもの（ヲ）」となり、創造の御柱の中央に生まれる「カタカムナの核」を表していることがわかります。須佐之男がその後、背中に荷物を背負わされ、髭《ひげ》も爪も抜かれて追放された……というお話がありますが、それは須佐之男がカタカムナの核となって、もっとも圧力のかかる逆渦の核の中心に沈められたため、荷物を背負い、髭や爪など生えてくるものを抜かれて、私たちの命の元＝核として中に沈んでいらっしゃることを意味しているのです。だから、須佐之男も、月読命と同様に、ミコト（命）と呼ばれています。

父イザナギが成した三貴子とは？

※『現代語古事記』（竹田恒泰著／学研）を参考に要約

現代語訳：

イザナギの神は「自分は子をたくさん産んできたが、その果てに三柱の貴い子＝三貴子を得た」と仰せになり、自らつけていらっしゃった首飾りを天照大御神に賜い「高天原《たかまがはら》を知らせ（治めろ）」と命じられました。この首飾りは、ゆらゆらと揺らすと美しい音が鳴ります。またの名を御倉板挙之神《ミクラタナノカミ》と言います。そして月読命には夜の食国《ヨルオスクニ》を知らすように、また建速須佐之男命には海原《ウナバラ》を知らすように命ぜられました。

思念訳と解説：

イザナギノミコトから生まれた「三貴子」は「ミハシラノウズノミコ」と読みます。思念で読み解くと、

「実体が（ミ）引き合う（ハ）示しの（シ）場が（ラ）時間をかけて（ノ）生み出した（ウ）渦が一方方向に進み（ズ）時間をかけた（ノ）実体が（ミ）転がり入ったもの（コ）」

となります。「実体が引き合う示しの場」とは「現象世界」のこと。そして実体とはこの場合「光」を指します。「時間をかけて生み出した渦が一方方向に進み」とは、「外の現象世界から内側の潜象世界へと進む転がり入る渦」だと思われます。そしてその渦に、「時間をかけた実体（光）が転がり入ったもの」とは、「その渦の中に時間をかけて転がり入った光がつくる見えない3つの渦がある」と読み解けます。「三柱」なので3つの渦です。渦を巻くと中心に柱がたちますね。それが貴い子というので、生命維持に重要な役割を担う渦なのでしょう。

天照大御神の本当の姿と高天原

そのひとつの柱、「天照大御神」には、美しい音が鳴る「ミクラタナノカミ」と言う首飾りを賜いました。思念で読むと、

「光が（ミ）引き寄る（ク）場に（ラ）分かれた（タ）核が（ナ）時間をかけた（ノ）チカラの（カ）実体（ミ）」

となり、「光が引き寄る場」とは、カタカムナの核です。
「分かれた核」とは、陰陽の核つまり天照大御神のことです。「時間をかけた力の実体」とは、陰陽の言霊のこと、つまり、発信する振動のことです。だから、「揺らすと美しい音が出る」というのでしょう。

「高天原をしらせ」の「しらせ」とは?

「示された(シ)場(ラ)を引き受けよ(セ)」

と言っています。つまり「統治せよ」という意味です。

それでは「高天原(タカマガハラ→カタカムナウタヒの記述に従って読んでいます)」とはどこでしょう? 思念で読むと、

「分かれた(タ)力と(カ)受容の(マ)内なる力が(ガ)引き合う(ハ)場(ラ)」

となります。

「分かれた力と受容」とはいったい何を指すのでしょう。「受容」とは、この場合、「地球」を指すと思われます。それでは、「タカ=(地球と引き合う)分かれた力」とは……。それは太陽です。その「太陽と地球が引き合う場」が高天原だというのです。

ここでもうひとつ、ヒントとなるものがあります。それは、天照大御神が天石屋戸にお隠れになったとき、地上と高天原が同時に暗くなったというのです。太陽神の天照大御神が隠れて暗くなる場所とは、空気の層《そう》がある「大気圏」しかないでしょう。太陽が沈むと地上と大気圏は暗くなりますが、それ以外の電磁場圏は、いつも太陽が輝いているはずなのにまっ暗闇ですよね。ここから、高天原とは、地球を覆う「大気圏」を表わしているということがわかります。

アマテラスオホミカミを思念で読み解いてみると？

「感じる受容が（アマ）、発信・放射する場が一方方向に進み（テラス）、奥深く引き離れた（オホ）、実体の力の実体（ミカミ）」

となります。

宇宙はすべて相似象なので、「感じる受容」とは「地球」を意味し、そして「人間」のことをも意味します。人間としてとらえると、「私という人間が、発信・放射する場が、一方方向に進み……」と自分から離れていきますが、次に、「奥深く引き離れた実体」とまた自分の中の奥深くに戻ってきてしまいます。そして、それは「私の力の実体」と言うのですから、自分の「生命」のことを指しています。私の生命の「力の実体」が、なんと、天照大御神だというのです。その私の命の力の実体から、光が言霊となって発信・放射しているということなんですね。もちろんアマテラスの「アマ」を地球生命としてとらえれば、天照大御神は、地球の核にいらっしゃって、そこから光を大気圏に発信・放射されているので、実際に統治されている場所はまさしく、地球上に空気と水をもたらし、温度や気候を左右して、地球に生命の繁殖を育む大気圏となりますね。大気圏がなければ、人間や高等生物は生きることはできません。だから、地球は高天原に統治されていると『古事記』では書かれているのでしょう。高天原から天孫が降臨して、日本を統治した理由も納得できますね。

そして、もうひとつ、宇宙や地球の電磁場圏は昼でも夜でも暗いのに、なぜ、大気圏と地上だけが太陽が昇ると明るくなるのかと私自身長年疑問だったのですが、これは太陽の光と共に地球内部から天照大御神が照らし出している光が空を輝かしているのだと考えたほうが整合性がありますね。

月読命の重要な役割

次に、月読命が統治を任された「ヨルノオスクニ」とは、いったいどこなのでしょうか？　思念で読んでみます。

「陽が（ヨ）留まるゼロ点で（ル）、時間をかけて（ノ）奥深くから（オ）一方方向に進み（ス）引き寄る（ク）圧力（ニ）」

となります。これはいったい何でしょう？

「ル」は、「止まる・留まる」という思念を持つので、中心のゼロ点を指しています。地球でいうと、「地球の中心部のゼロ点から、外方向に渦巻きができ、また引き寄る（戻ってくる）圧力」とは？　イメージするとこれは地球の回転力です！　つまり、月読命は、地球内部から「マワリテメグル」と回転する圧力をかける役目を任されたということになりますね。月読とは「月を読む」ということで「時」のエネルギーを意味しています。時は、地球が自転・公転して、1日、1カ月、1年と経っていくものですね。

そして月読命こそが生命体の寿命をにぎっているのかもしれません。

須佐之男の命に感謝！

最後に、須佐之男が統治を命ぜられた「海原（ウナバラ）」とはどこでしょう？　海のことでしょうか？　言葉上ではそう言えますが、思念で読むと、**「生み出す（ウ）核が（ナ）反対方向に引き合う（バ）場（ラ）」**となり、命を生み出す逆渦の中心、「カタカムナの核」を指しています。つまり地球でいうと「地球の核」になりますね。アマテラスは核にいらっしゃるセントラルサンとして光を上空に発信放射される存在でしたが、須佐之男はそのアマテラスを入れる核そのものだというのです。

須佐之男の命は、生命を生み出す核として、最大限の重圧に耐え、トーラスの循環を見えないところで動かして下さっていたのです。誰からもその重圧を理解されず、罪人扱いされて、荒れすさぶ神と呼ばれていたとは本当に申し訳ない思いがします。心から感謝しかありませんね。

この須佐之男の命の本当の姿と苦労を知ることこそ、生命とは何かを知ることになるのでしょう。

これで、月読と須佐之男が地球の中の命の場を意味する「ミコト（実体が転がり入って統合したもの）」と呼ばれ、大気圏を統治する天照だけが、実は、地球の中心にいらっしゃるのに、神と呼ばれるのかの理由がはっきりしましたね。

言霊は一分のスキもなく組み合わさっています。まさに神の仕組みとしか言えません。問題はそれを受け取る私たちの感性をどう磨くかにかかっているのでしょう。

天石屋戸開きのエピソードが伝える夢を叶える方法

『古事記』の物語には、とてもたくさんの秘密が隠されていて、また、読み方によってさまざまに深い意味に解釈でき、示唆に富んだ内容になっています。

ここではすべてを紹介しきれないので、中でもとても印象的なくだりをご紹介しましょう。

それは、有名な天石屋戸開きのエピソードのくだりです。

ご存知の方も多いと思いますが、このエピソードにつながるくだりを簡単に振り返ってみましょう。

イザナギから海原に行けと命じられた須佐之男でしたが、父の言いつけを聞かなかったため、追放されてしまうところから話が始まります。

須佐之男は、追放されることを姉である天照のところに報告に行くのですが、これを、弟が国を奪いに来たと天照が勘違いしてあわや戦争になりかけます。しかし、ここで須佐之男は、争いを避けつつ、姉の誤解を解くために、「誓約《うけい》」の儀式を行うことを提案します。誓約の儀式とは一種の占いのことです。結果的に、この儀式で勝った須佐之男は、その勢いのまま大暴れします。

天照がとがめないままでいると須佐之男の乱暴はどんどんエスカレートし、ついには、馬の皮を剝いで神聖な機織り小屋に投げ込むという暴挙に出て、巻き添えになった機織り女が死んでしまいます。さすがの天照も黙っていられなくなり、天石屋戸に引きこもってしまうのです。

ここから肝心の場面がスタートするのですが、その前に、ひとつ決めておく必要があります。この物語のもっとも重要な舞台である「天石屋戸」には、「アマノイワヤド」「アメノイワヤド」「アメノイワト」などいろいろな読み方があります。思念を読むためには統一しなければなりません。残念ながら『古事記』は漢字のみで書かれているため、正確な音は残っていませんが、字面を素直に読むと「アマノイシャド」になるはずです。なぜ「イワヤド」と読ませるのでしょう。何らかの理由で、「イシャド」と素直に読ませない意図が働いているように思えてなりません。その謎解きは後ほど話します。ここでは漢字を素直に読み、「アマノイシャド」と統一したいと思います。

それでは、天照大御神が天石屋戸に隠れてしまい、高天原や葦原《あしはら》中国が闇に覆われてしまったその後のくだりから物語を再開します。

なお、これからお話しする解説は、物語をすべて思念で読んだ上でのものですが、そのすべてを説明すると非常に長くなる上に、かえってわかりにくくなるので、重要なところだけピンポイントで解説したいと思います。

八百万の神による相談

※『現代語古事記』（竹田恒泰著／学研）を参考に要約

現代語訳：
八百万《やおよろず》の神は困りに困り、天の安の河原に集まって、いろいろと考えを巡らせましたが、よい考えはなく、結局は「知恵の神」で知られる「思金神《オモイカネノカミ》」に相談することに決めました。思金神は、タカミムスヒの神の子で、思慮を兼ね備えた神です。思金神の考えた方策は「祭り」でした。

思念訳と解説：まず最初に、『古事記（コジキ）』とは、いったい何を描いた物語なのでしょうか？　そして、この物語の場面での重要なキーワードは「思金神（オモイカネノカミ）」です。この2つを思念で読み解くと、

コジキ↓「転がり入った（コ）内なる示しと（ジ）エネルギー（キ）」
オモイカネ↓「奥深くに（オ）漂い（モ）伝わるものの（イ）チカラを（カ）充電する

（ネ）」

となります。

『古事記』とは、実は、「転がり入った内なる潜象世界の物語」だったのですね。だから、潜象物理の書と言われる「カタカムナウタヒ」の中に『古事記』の「上つ巻」が出てくるのも納得です。まずは、それを踏まえて思金神が何を表しているのかを考えてみましょう。

潜象とは、現象を作る、見えないエネルギーの世界です。そう考えると、「思金神」とは、そのものずばり、「思い」です。「思いの力を充電させる神」なのです。

この物語は、もっとも尊い神である天照大御神が石屋戸に籠《こも》ってしまい、光が消えて神々が困るという話です。天照大御神とは私たちの命の中にいるもっとも尊い神でした。「本当の自分が持つ神なる力」を表しているのです。この物語は「自分のすべての思いを実現させる神なる力」を心のうちに秘めたまま、それに気づかない人間の状態を示しています。自分の中にある、すべてを実現させる神なる力に気づかず、思い悩む私たち人間の状態を、天照が石屋戸に隠れたストーリーとして描いているのです。

それでは、石屋戸とは一体、何でしょう？　石屋戸（イシヤド）を思念で読み解いてみましょう。

イシヤド↓「陰の（イ）示しが（シ）飽和して（ヤ）向こう側へと統合する（ド）」

となります。イシヤドの「陰の示し」とは、人間でいえば「肉体」のことで、自分の肉体を、陽の生命エネルギーで飽和させ、その力で、閉ざした扉を開き、外の現象世界と統合させる……つまり自分の内なる思いを現象化させるところという意味を秘めているのです。

物語は、こう続きます。

八百万の神々たちは、いい考えが浮かばず、思金神に相談したところ、「祭りをしよう！」ということになりました。

「八百万の神」と「祭り」を思念で読み解くと、

ヤオヨロズノカミ↓「飽和する（ヤ）奥深くへと（オ）、陽のエネルギーと（ヨ）、空間

が（ロ）中へと進む（ズ）時間をかけた（ノ）チカラの（カ）実体（ミ）」

マツリ↓「受容に（マ）集まり（ツ）離すこと（リ）」

となります。つまり、八百万の神々とは、天石屋戸を飽和させる陰陽のエネルギーそのものを言っているのです。そして、祭りをするとは、その石屋戸の中にエネルギーを集めて、天照を外に出す渦の流れを作ること。つまり祭りでエネルギーの増幅、共振作用を巻き起こそうとしていると読み取れます。

祭りの準備

※『現代語古事記』（竹田恒泰著／学研）を参考に要約

現代語訳：

まず、常世の長鳴鳥《ナガナキドリ》が集められ、一斉に鳴かされました。

次に、天の安の河の上流にある天の堅石を取り、天の金山の鉄を取り、鍛冶屋を探して、イシコリドメの命に命じて鏡を作らせ、また玉祖命《タマノオヤノミコト》に命じて八尺の勾玉の500個のミスマルの珠《たま》を作らせました。これで必要な神器が揃いました。ちなみにこのとき作られた鏡と玉が、後に天孫降臨によって高天原から地上にもたらされ、やがて天皇の皇位の印である「三種の神器」のうちの2つになります。

思念訳と解説：まず、長鳴鳥を一斉に鳴かせ、祭りの始まりを宣言します。長鳴鳥は「カケコー」と鳴いたそうです。次に鏡、勾玉などの必要な神器を揃えます。鏡を作ったのは「イシコリドメの命」です。それではこれらを思念で読んでみます。

ナガナキドリ→核の（ナ）内なる力と（ガ）核の（ナ）エネルギーを（キ）こちらへと統合して（ド）離す（リ）

カケコー→チカラを（カ）放出して（ケ）こちらへ転がり出ろ（コー）

イシコリドメ→伝わるものの示しが（イシ）、転がり出て離れ（コリ）こちらへの統合を指向する（ドメ）

どの思念も、石屋戸の中の天照を引き離し、出させる力を持った言葉ばかりです。「長鳴鳥」の思念の、「核の内なる力とエネルギー」とは、明らかに「天照の力とエネルギー」を示していますし、「イシコリドメ」という名前は、「意志を凝り固めて留める」という言葉上の意味が取れ、思金神と並んで、現象化を起こすために思いの力を充電し意志を凝り固めなさいと言っているのがはっきりわかります。

祭りの始まり

現代語訳：

※『現代語古事記』（竹田恒泰著／学研）を参考に要約

そしてアメノコヤネの命とフトタマの命をお召しになって、天の香山の牡鹿の肩の骨を抜き取って、天の香山のカニワ桜を取ってきてその骨を焼いて占わせると、にぎやかな祭りが始まりました。天の香山の枝ぶりよく茂った榊《さかき》を根ごと掘り出して、上の枝には八尺勾玉の500個のミスマルの珠を取り付け、また、中の枝には、八咫鏡を取り付け、下の枝には木綿と麻の布を取り垂らし、この見事な供え物をフトマニの命が取り持ち、アメノコヤネの命が祝詞を奏上しました。

解説：また、ここで私が注目したのが、「天の香山の枝ぶりよく茂った榊を根ごと掘り出して……」のくだりです。

神道の木「榊」は実は「逆木」に通じています。木の上下を逆さまにして、根を上に向けた構図を想像してください。この構図は創造の御柱の逆渦であり、実は、この構図こそカバラの「生命の樹」と言われる図象そのものになります。

生命の樹は、セフィロトの木とも呼ばれ、ユダヤ教の一種、神秘思想主義の叡智とされるカバラの奥義と言われます。これによれば、生命の樹は、神と宇宙と人を結びつける秘密を解き明かすカギだとされています。そしてその生命の樹は常に「さかさまの木」として描かれているのです。その生命の樹と同じ図象がなぜ『古事記』に隠されていたのかはわかりませんが、ユダヤとのつながりを感じさせる場面です。また「サカキ」にかけられた「ヤタノカガミ」は潜象世界への入口を表しています。

祭りのクライマックス

※『現代語古事記』（竹田恒泰著／学研）を参考に要約

現代語訳：

天照大御神がお隠れなった天石屋戸のすぐ脇には、腕力の神様である天手力男神《アメノタヂカラオノカミ》が隠れ立ち、戸が緩むのを待ちました。神楽《かぐら》が始まりました。踊り手はアメノウヅメの命です。天の香山の日陰蔓《ひかげのかずら》を襷《たすき》にかけ、アメノマサキを髪飾りにして、天の香山の笹の葉を結って手に持ち、逆さまにした桶を踏み鳴らし、神がかりして、胸乳をあらわに出して、服のヒモを陰部のところまで押し下げました。すると高天原がどよめき、八百万の神がどっと笑ったのです。

このとき、天照大御神が不思議に思し召して天の石屋戸を細目にお開きになり、内側から次のように仰せになりました。「自分が洞窟にこもっているから、高天原も葦原中国も暗闇のはずだけど、アメノウヅメの命は歌舞をし、八百万の神もみな笑っているのは、いったいどうしてなのだろう？」と尋ねられます。アメノウヅメがそれに答えて、「あなた様よりも尊い神がいらっしゃいます。それゆえに、我々は喜び、笑い、そして舞っているのです」と申し上げました。

思念訳と解説：祭りがクライマックスに達すると、アメノウズメは名前の通り、渦目を作るために踊り出します。

ここでは、ポイントとなる、「神楽」「アメノウズメ」「逆さまにした桶」「胸乳」「陰部」などの言葉を思念で読み解いていきましょう。

カグラ↓力が向こうから引き寄る場
アメノウズメ↓感じて指向し、時間をかけて生まれ出てたものが、引き込む渦を指向する
オケ↓奥深くからの放出
ムナチ↓広がる核の凝縮
インブ↓大きな陰の穴

となります。「カグラ」で引き寄せる場（ブラックホール）を作り、「アメノウズメ」が渦目を作って、「オケ」を逆さまにして流れをこちらのほうへと変え、「ムナチ」でアマテラスの凝縮を広げ、「インブ」で穴へと引き込む作戦です。

祭りがクライマックスに達すると、アメノウズメの一心不乱の踊りで宴は最高潮に盛り上がり、高天原がどよめき、八百万の神がどっと笑いました。これにたまらなくなった天照は、ついに扉を少し開けます。つまり、天照がこもってしまった暗い石屋戸の戸のカギを開けさせた直接の原因は「笑い」のチカラだったというわけです。

「笑いの力」とアマテラスの示した「好奇心」、これこそ閉じこもった自分を開く力だと『古事記』は描写しているのです。

石屋戸が開かれる

現代語訳：

※『現代語古事記』（竹田恒泰著／学研）を参考に要約

このように申し上げている間に、アメノコヤネの命とフトタマの命が天石屋戸の隙間に八咫鏡を差し入れ、天照大御神に鏡をご覧にいれました。すると、天照大御神は鏡に映る自らの御身をご覧になって、自分と同じような太陽の神が別にいると勘違いして、びっくりなさいました。そして、天照大御神がゆっくりと石屋戸から外を覗《のぞ》こうとなさったとき、戸の脇に隠れていた天手力男神が、天照大御神の御手を掴んで外へ引き出し、すかさずフトマニの命が、後方にしめ縄を張って「これより中に戻ってはなりませぬ！」と申し上げました。かくして、天照大御神が天石屋戸からお出になったので、高天原と葦原中国に、再び明かりが戻ったのです。

解説：石屋戸の隙間から差し込まれた鏡を天照が見ると、そこには、鏡に映る自らの御身（オンミ＝とても奥深い実体）が見えます。天照大御神は、自分と同じような太陽の神が別にいると勘違いしてびっくりなさいました、とあります。これは自分の中に光り輝く本当の自分、すばらしい可能性を持った神なる自分がいることを、天照御自身も知らなかったということを意味しています。天照は私たち人間の神性を表しているので、実はこれは私たちのことを言っているのです。自分の奥深いところには光り輝く神なる「御身」が存在することを私たちはまだ知りません。

最後に、自分のような神がいると驚いた天照が身を乗り出した瞬間に、戸の陰に隠れていた天手力男神が天照をひっぱり出してようやく世界に光が戻りました、というお話です。

人生を輝かせるカギを見つけ出そう

天石屋戸の物語は、ここまで読むとわかるように、「自分の命の奥には、すべての夢を現象化させることができる貴く輝く力が秘められている。ということを表していました。

そしてその扉を開く方法をまとめると、次のようになります、

①自分が「本当に興味がある道」に進むこと。

②自分の秘められた力は、心から楽しむ「笑いの力」で発揮されること。

③そのためには、まず最初に「思いの力を充電」すること。

④必ず実現するという「自分の意志を凝り固めて石のように固くし」。

⑤意志を「思いのエネルギーで飽和させる」こと。

⑥そのためには、「祭り」が必要、祭りとは「周りの人の応援、協力」のエネルギーの増幅、共振運動を作り出すものであること。

⑦そのエネルギーの流れに乗って勇気を持って内側の扉のカギを開けること。

これが、「すべての夢を叶える手順」だったのです。

『古事記』のストーリーの中に、思いを現象化させる方法が秘められていたとは本当に驚きです！　そして最後に、なぜ天石屋戸を「イワ」と呼ばずに「イシ」と呼んでいたのか？　それは自分の「思い」を強い「イシ（意志）」に固めることこそ、すべてを現象化させる方向なのだと一人一人が知ってしまえば、世界の為政者や宗教家たちにとって、とても都合の悪い状態を生み出すからではなかったかと思われます。

福岡県芦屋町での不思議な体験

2015年2月に、福岡県芦屋町でセミナーを開催したとき、主催者から、「日本古代の歌を広める活動をされている中山博さんという方が、ちょうど今日、芦屋の洞山《どうやま》に来るそうなので、会ってみませんか」と誘われました。

カタカムナも縄文時代以前の上古代に成立したものだと考えられています。お互いの活動に何らかの共通点があるのではないかというのもありましたし、それに、洞山は芦屋に来るたびに立ち寄っている私のお気に入りの場所です。

そもそも、芦屋という地名からして、カタカムナ文献を残したとされるアシア族に通じます。アシア族は高度な鉄の文化を持っていたとされますが、芦屋町にも「芦屋釜」と呼ばれる独自の鉄製茶湯釜があり、鉄の文化が息づいています。芦屋という地名と、鉄製の釜にカタカムナとの共通項を感じていたのです。

ちなみに、洞山というのは、芦屋町内にあって、埋め立てによって陸続きになった洞山島の、屹立《きつりつ》した岩に円形の穴がくりぬかれている不思議な景観です。

神功皇后が戦いに行く途中、芦屋に立ち寄ったとき、必勝を誓って矢を射ると、矢は小島を貫通し、その穴が大きくなって洞穴になったという逸話が残っており、いわゆるパワースポットと言っていいでしょう。その場所で、古代に起源を持つとされる不思議な歌「天地《あわ》の歌《うた》」を奉納するということでした。

さて、洞山に着いて中山さんと会い、さっそく天地の歌を拝聴させていただいたときのことでした。まるで祝詞《のりと》のような厳粛なしらべに聞き入っていると、私の耳に、中山さんの歌声に追いかぶさるように、少しずれてまったく別の人の声が聞こえてきたのです。人間の声とは思えないほど高音で、力強く、そして清らかな響きのある歌声です。高い声なので初めは女性かと思いましたが、あまりの力強さに男性だとも思えました。その不思議な声が、私の左の耳から、次第に脳内に響き渡り、私はまったく圧倒されてしまいました。中山さんの謡いが終わると、次第にその声も終わりましたが、本当に不思議な体験でした。なぜそんな声を聞いたのか、理由はわからなかったのですが、そのとき、「天地の歌」を思念で読み解きたいと思ったのでした。

調べてみると、「天地の歌」とは、縄文時代のヲシテ文字という古代文字で書かれた「ホツマツタヱ」という文献にある歌でした。カタカムナウタヒ第5首第6首と同じく48文字を使って、「ア」で始まり「ワ」で終わるウタなのです。このタイトルは、男女を表している……と思念読みをしてきた経験からなんとなく感じていました。なぜなら、最初と最後の文字は、男女の両極を表し、つながる場合が多いからです。

天地《あわ》の歌が教えてくれる生命の讃歌

芦屋町の洞山での不思議な体験後、セミナーやその他で時間が取れず、「天地の歌」を読み解きたいとは思いながら、なかなか落ち着いて取り組むことができませんでした。ようやく思い立って、読み解いてみると……これはまさしく、「生命の讃歌」そのものだったのです。

あわのうた（天地の歌）
あかはなま　いきひにみうく
ふぬむえけ　へねめおこほの
もとろそよ　をてれせゑつる
すゆんちり　しゐたらさやわ

歌詞：あかはなま

思念訳：生命の（あ）力が（か）、引き合う（は）核の（な）受容が（ま）

解説：「命の力が引き合う核を容れた物」とは命の種である「精子」のことを意味します。

歌詞：いきひにみうく

思念訳：陰の（い）エネルギーが（き）根源から出て（ひ）、圧力を受けた（に）実体が（み）生まれ出たものに（う）、引き寄っている（く）

解説：精子とは男性の「陽」のエネルギーを意味します。その反対に「陰」は女性を指し、その女性の根源から圧力を受けて（排卵されて）生まれ出た実体とは「卵子」を指しています。つまり、男性器から放たれた精子が女性器に入り、卵子に引き寄っている状態を描写しています。

歌詞：ふぬむえけ

思念訳：徐々に増す（ふ）貫くものを（ぬ）広げる（む）エネルギーがうつり（え）放出される（け）

解説：精子が卵子の殻を貫き抜けようと、エネルギーを放出している状態です。つまり、殻を突き破って受精しようとしているのです。

歌詞：へねめおこほの

思念訳：外側から（へ）充電し（ね）、指向して（め）奥深くに（お）転がり入り（こ）、受精卵となって、中に引き離れ（ほ）、時間をかける（の）

解説：「卵子の外側の殻に充電し」ということは、エネルギーを注入しているのでしょう。「指向して奥深くに転がり入る」とは、卵子に受精した様子です。最後、「中に引き離れ、時間をかける」とは、受精卵の核の中で、生命を生み出す過程に入ったことを表しています。ここまでが、ちょうど歌の半分（24文字）の折り返し点であり、男性側から見た命の誕生を表現していることがわかります。

歌詞：もとろそよ

思念訳：漂うものを（も）統合した（と）空間が（ろ）、外れて（そ）新しいもの（よ）となる

解説：ここからは女性側から見た生命誕生のプロセスを表しています。「漂うものを統合した空間」とはなんでしょう。漂うものとは「精子」、統合した空間とは「受精卵」になったことです。「外れて新しいものとなる」とは、受精卵が細胞分裂を繰り返して、子宮の中で新しい生命体となることを表しています。

歌詞：をてれせゑつる

思念訳：奥深くに出現した（を）発信・放射するものが（て）、消失することを（れ）引き受けると（せ）、（子宮から）届いたものを（ゑ）集めて（つ）、留まっていたものが（る）

解説：「奥深くに出現した発信・放射するもの（＝胎児）が、消失することを引き受けると」とは、臨月になり、子宮から離れて生れ出るときが来るという意味で、届いたものを集めて留まっていたものとは、子宮内部の陣痛の圧力を集めて胎児が、という意味です。ここで、途切れて次小節に続きます。

歌詞：すゆんちり

思念訳：一方方向に進んで（す）、強く湧き出し（ゆん）、凝縮から（ち）、離れる（り）

解説：（前小節からの続き）胎児が一方方向に進んで、強く湧き出し（子宮内を生まれ出る方向に下がり）、凝縮から、離れるとは、陣痛の圧力により、母とのつながりを離れるという意味で出産が始まった様子を子宮内部の視点で表現しています。

歌詞：しゐたらさやわ

思念訳：示された（し）存在が（ゐ）分かれる（た）場で（ら）、遮りが（さ）飽和し（や）外の世界と調和する（わ）

解説：「示された存在が分かれる場」とは、赤ちゃんが産道から出るところで、遮りとは、胎児を包んでいた羊膜が、飽和し圧力で破れ羊水があふれ出る様子を表しています。外の世界と調和するとは、赤ちゃんが誕生するという意味になります。

これはまさに、出産の最終場面の描写であることがわかります。こうして人間の生命は新しい生命体として生まれ出てくるのです。

「あわのうた」の48文字の前半の24文字は、生命の種を持つ「イザナギ」の陽の力が表され、後半の24文字は、「イザナミ」の陰の力（子宮の力）が表現されています。

これまで、いくつかの日本の古い歌をこの本の中で思念で読みといてきましたが、「ヒフミの歌」も「君が代」も「カゴメの歌」も「あわのうた（天地の歌）」も、すべて、人間の生命がどのように発生し、生まれ出るのかという、生命誕生の見えないメカニズムを詳細に描くことによって、「生命の尊さ」「生命の讃歌」を歌い上げていることがわかりました。これはとてつもなくすごい文明です。生命をもっとも尊重する文明が日本の源にあったことを物語っています。しかし、この生命至上主義は、日本の文明の中にだけあったのでしょうか？

たとえば、「あわのうた」の「あ」「わ」とは、最初と最後の文字を取っているので、

「天地の歌」とよばれるのです。その視点で見ると、ギリシャ文字の最初の文字「Α・α（アルファ）」と最後の文字の「Ω・ω（オメガ）」も、それぞれ大文字と小文字が「Α・ω」となり、「あ・わ」と読めるではありませんか。それに「Ω（オメガ）」の大文字は明らかに子宮の形を表わしていますね。

最初と最後が男と女のように統合するのであれば、天と地もつながって統合しており、等しく、生命も輪となってつながり、循環しているのではないでしょうか？「あわ」を思念で読むと、まさしく「生命の調和（循環）」という意味になります。輪は、始まりも終わりもない無始無終の形です。それが生命の姿であるといっているのです。

これは、ユダヤ教のカバラの「生命の樹」でも同じことが言えます。上の「ケテル」と下の「マルクト」はつながっているのです。「生命の樹」を日本語に訳すと、まさしく「あ・わ」になるのでしょう。

このように言葉による読みときを通して、いろいろな世界の言葉を検証し、生命が循環することをはっきりと悟ることは、人類の死生観を変えると思います。生命とは、結局、殺しても無駄なのです。死んでも生まれ変わってくるのです。そうして生命は続いているのです。そしてそれを私たち人間が確信できれば、殺人や戦争、自殺がその意義をまったく失うことを意味しています。

私たちのこれからの仕事は、地球上のすべての文明と人種を言霊でつないでいくことです。できるだけ多くの共通項を見つけて、ひとつになる道を探したいと思っています。言語の違いを超越できる思念の世界なら、それはきっと実現できるでしょう！

おわりに

いかがでしたしょうか。古代カタカムナの叡智、言霊の力の断片を少しでも感じていただけたでしょうか。

本書は、少しでも多くの方に言霊の力を知っていただけることを願って、思念読みに特化してまとめました。どうぞ日常生活に思念読みを取り入れていただき、歴史や宇宙の真実を知り、人生に役立てていただければ幸いです。

本来ですと、ヒフミ九九算用や数霊なども駆使して、カタカムナの意味を捉えていくと、さらに深遠な真実にたどり着くことができるのですが、本書では入門書として思い切ってテーマを絞りました。セミナー等ではさらに踏み込んだお話をお伝えしていますので、さらに深く知りたいという方は、セミナー等にお越しいただければと思います。

カタカムナに出会い、言霊の力の奥深さを知り、私自身の人生は大きく変わりました。まだまだ研究段階で、日々新たな発見がたくさんありますが、少しずつ、私が理解したことをお伝えしていき、カタカムナの教えによって、わずかながらでもみなさまの現実を変えていくお力添えになれれば幸いです。

本書を執筆するにあたり、精神科医の越智啓子先生、スタッフのみなさま、編集者の武井章乃さん、構成の太田聡さんのご協力をいただきました。この場を借りて心より御礼申し上げます。

吉野　信子

〈カタカムナカードとは〉

オフィシャルサイトでは、セミナーの情報やオリジナルのカタカムナカード等を扱っています。ご興味のある方はぜひのぞいてみてください。

オフィシャルサイト　http://katakamuna.xyz/
癒しの広場　なんくる　http://nankuru-dr-keiko.jp/

『カタカムナの思念（言霊）と数霊』を使って、言葉の本質をより身近に理解するためのカードです。カタカムナカードの表（白色面）には、『カタカムナ48文字』とその『思念と数霊』が示してあります。裏（黄色面）には、『カタカムナ　ウタヒ80首』から、順番に60首までのウタが描かれています。カードを並べてさまざまな言葉を読み解いたり、数霊を知るなどして遊び方を工夫すれば、楽しみながら言葉の本質を見抜けるようになります。

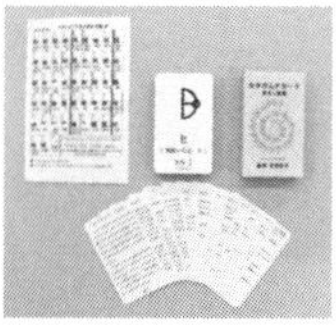

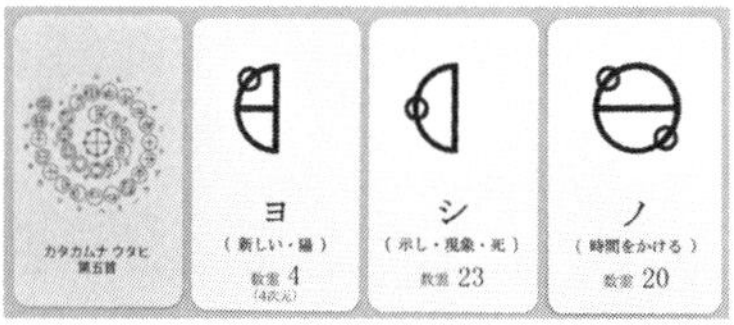

（使い方の例）

①カタカムナ文字を分類してみよう！（1－48の白色面使用）

1／4文字、1／2文字、丸文字、線文字、十文字の5種類に分類してみる。慣れたらさらに細かく分類してカタカムナ文字に親しむことで、潜象世界を読みとる。

②カタカムナウタヒに親しもう！（1－60の黄色面使用）

・　鬼がカタカムナウタヒの番号をランダムに言う（例：「第7首」）。
・　60枚すべての黄色面を適当に並べて、そのウタヒ番号を取り合う。
・　見つけた者がウタヒを読み上げ、全員で復唱する。
・　何枚見つけるか、枚数を競う。
・　鬼は5枚程度、番号を読み上げたら交代する。

③思念からメッセージを受け取ろう！（1－48の白色面使用）

・　カードをよく操り、その中の4～5枚を見ないで引く。
・　引いた順にカードを並べ、つなげてナチュラルな日本語にしてメッセージをもらう（カードを引く前に、黙祷し、自らのゼロ点に立ち返り素直な気持ちで心の中で質問してからカードを引くことが大事）。

特別掲載　カタカムナウタヒ全80首

第1首

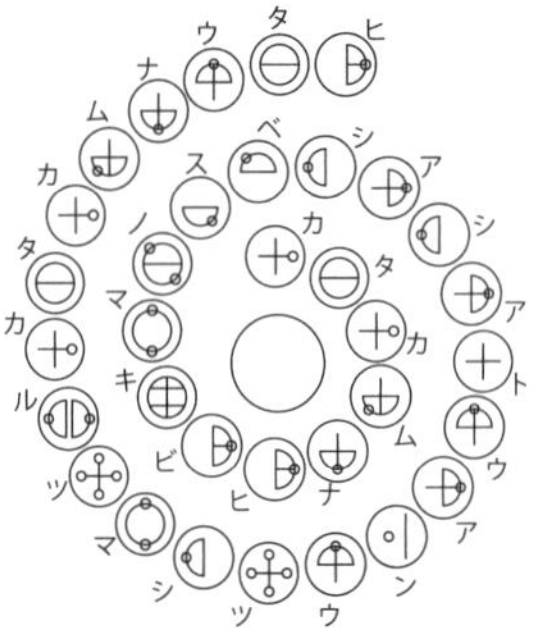

第2首

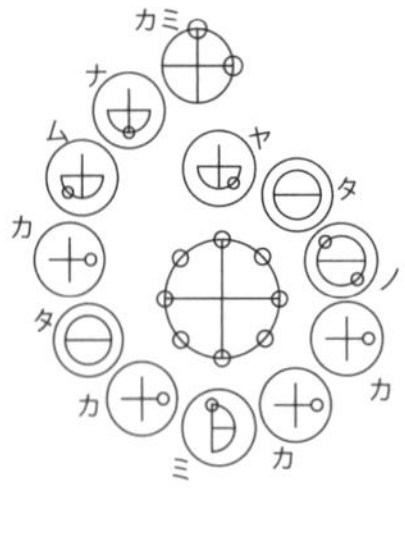

第3首

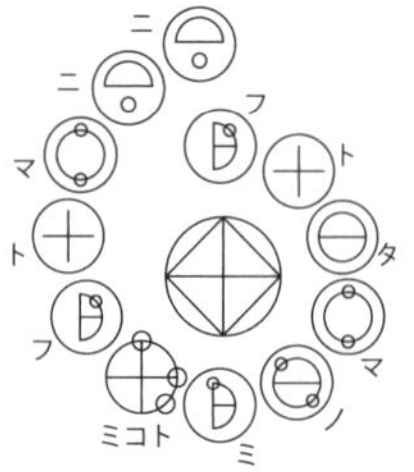

第4首

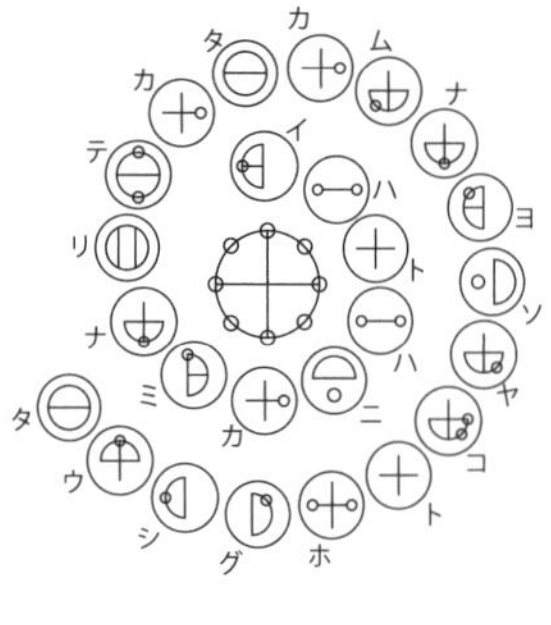

第5首

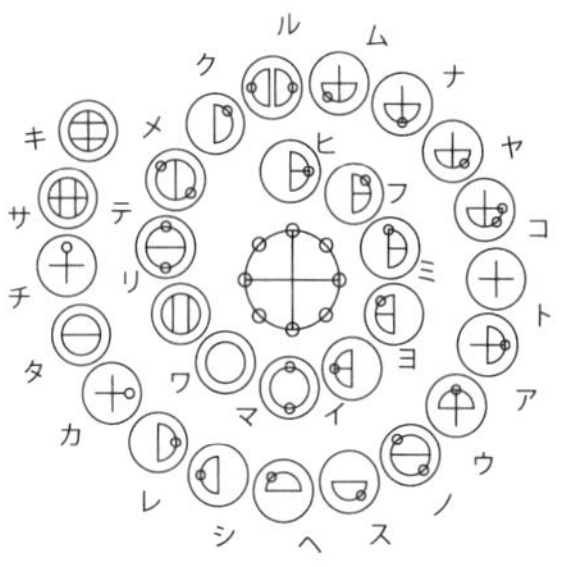

第6首

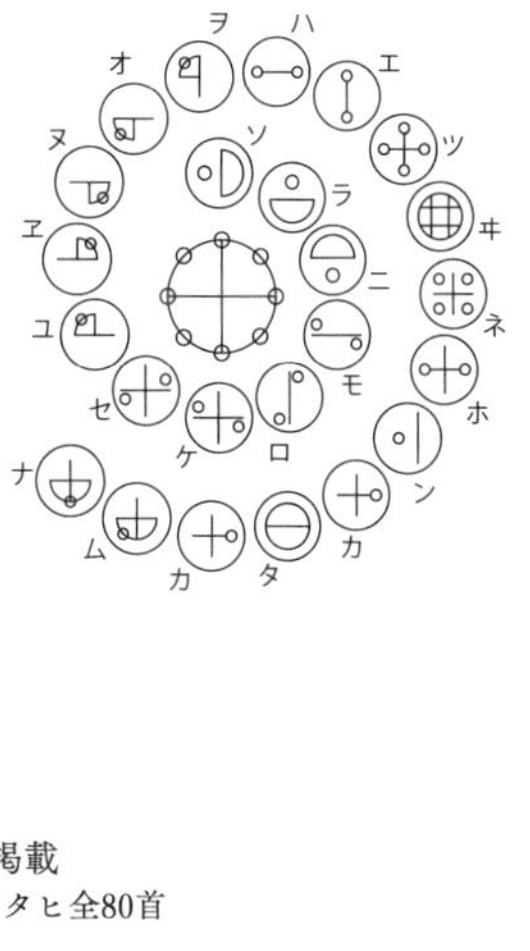

第7首

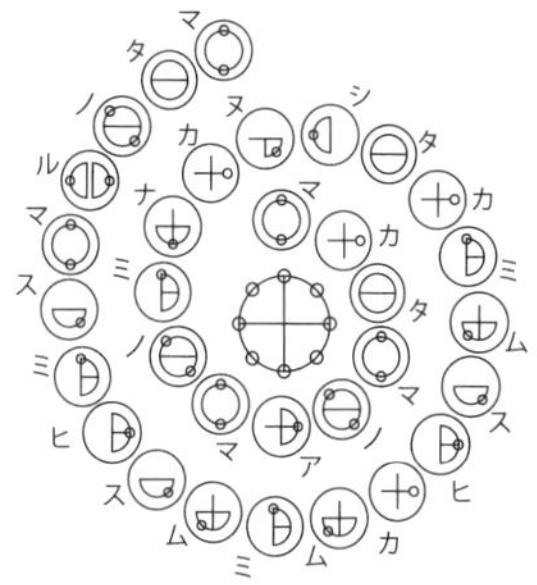

第8首

第9首

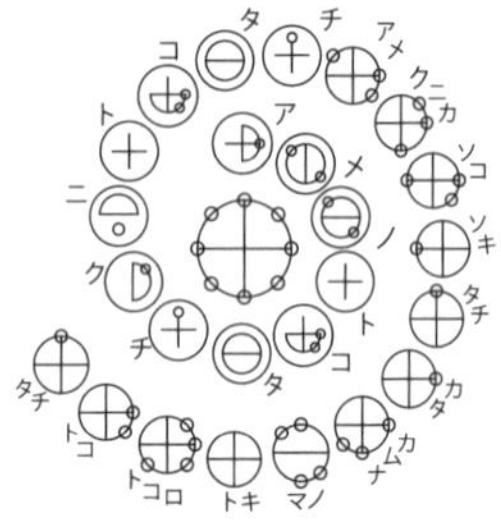

第10首

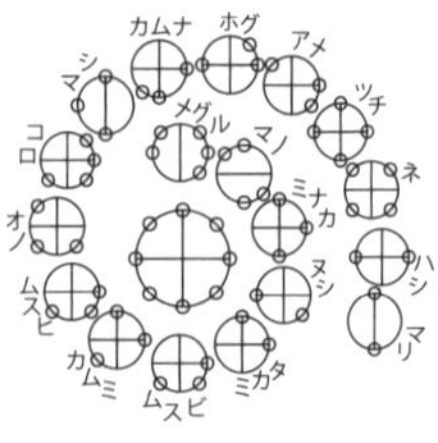

第11首

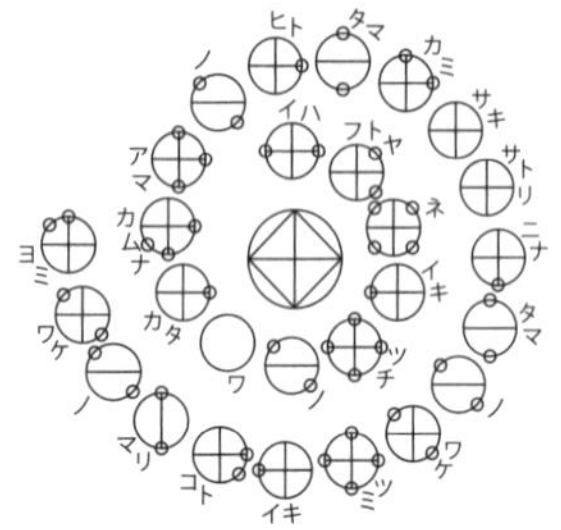

第12首

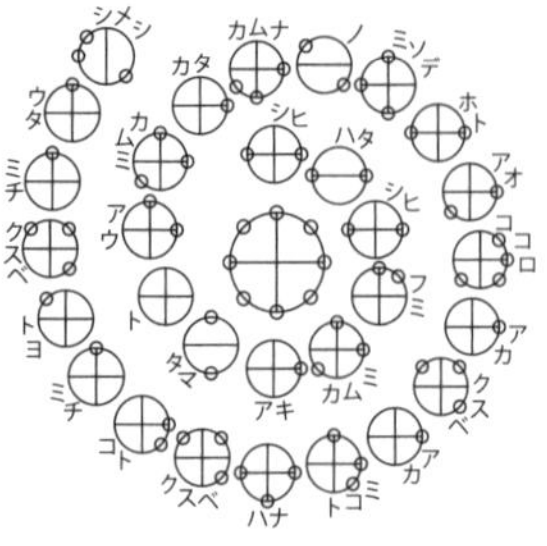

第13首

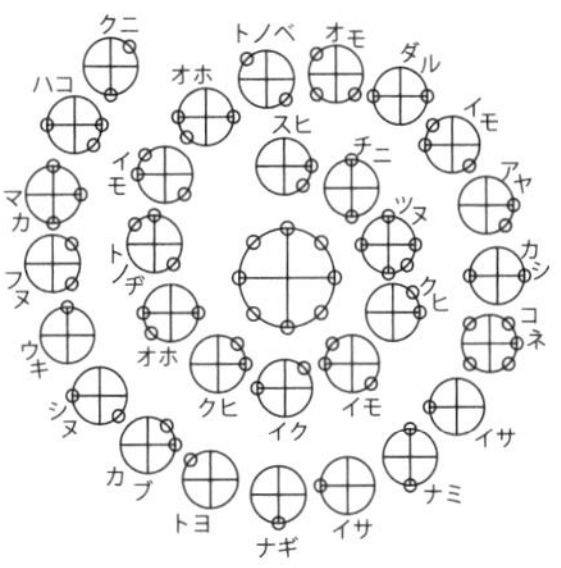

第14首

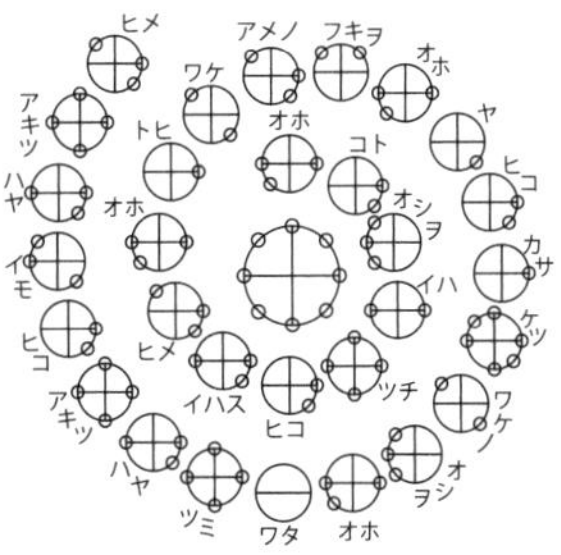

第15首

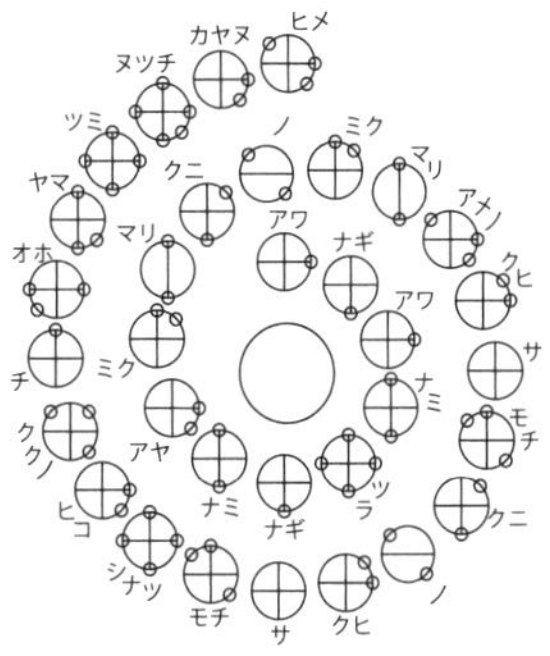

第16首

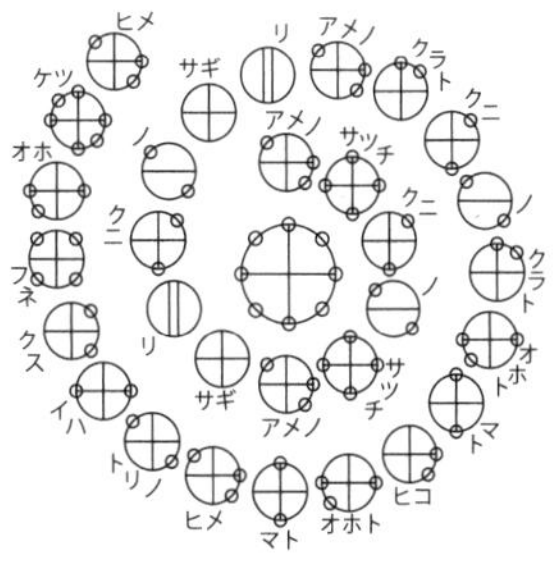

第17首

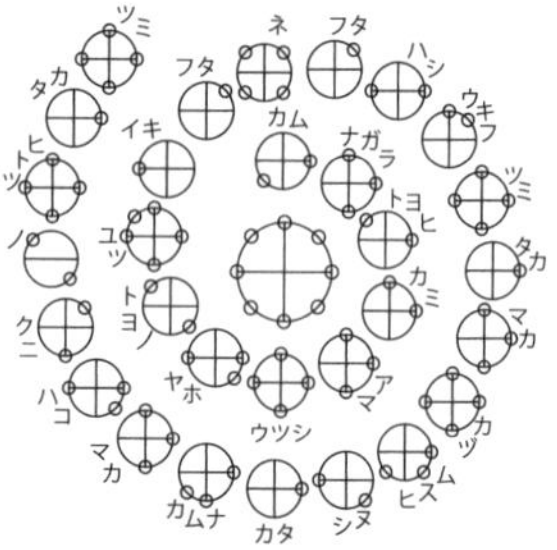

第18首

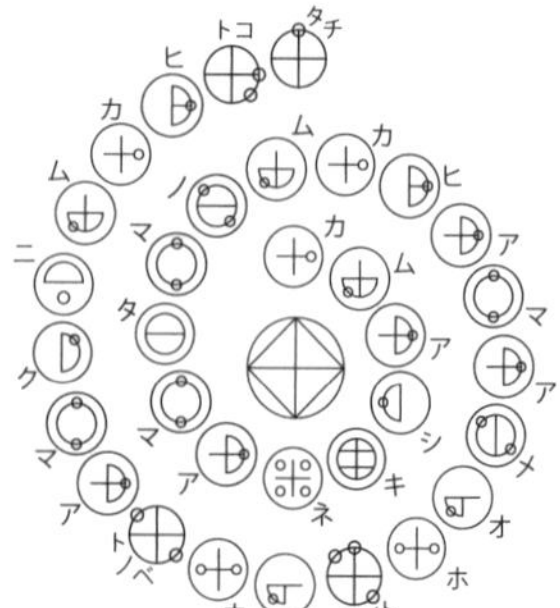

第19首

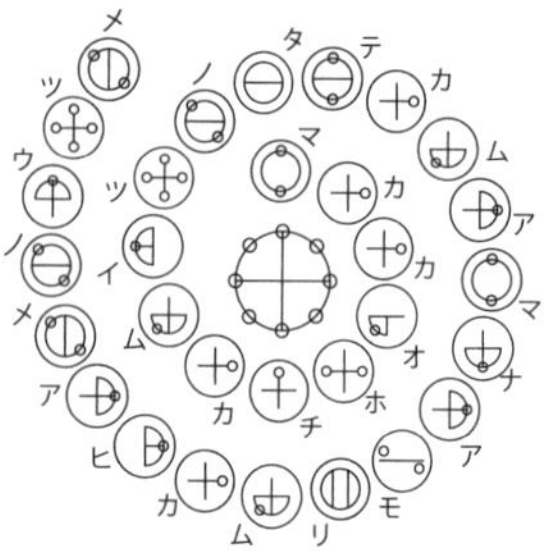

第20首

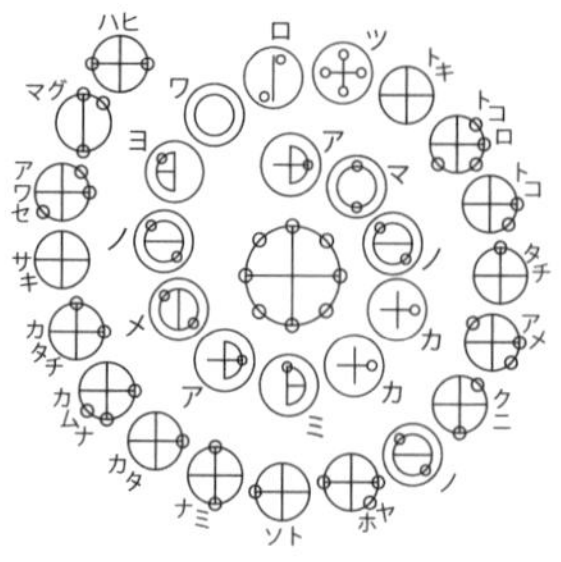

第21首

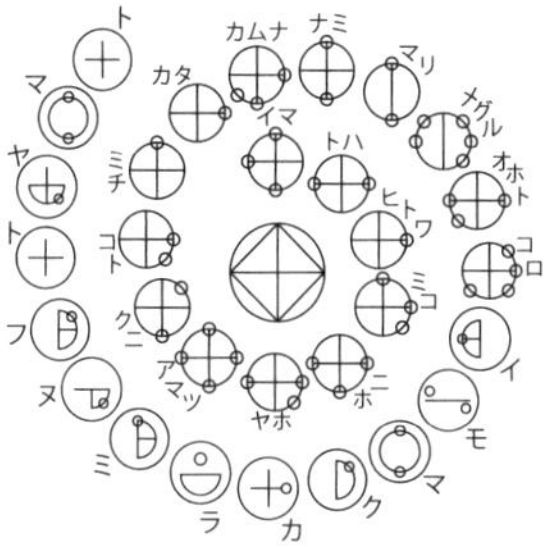

第22首

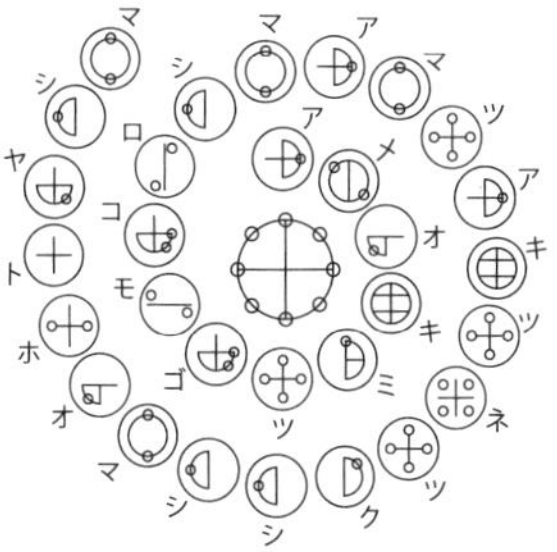

第23首

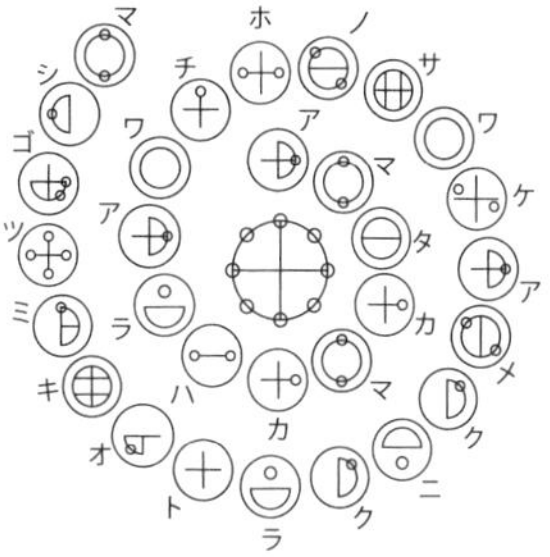

第24首

第25首

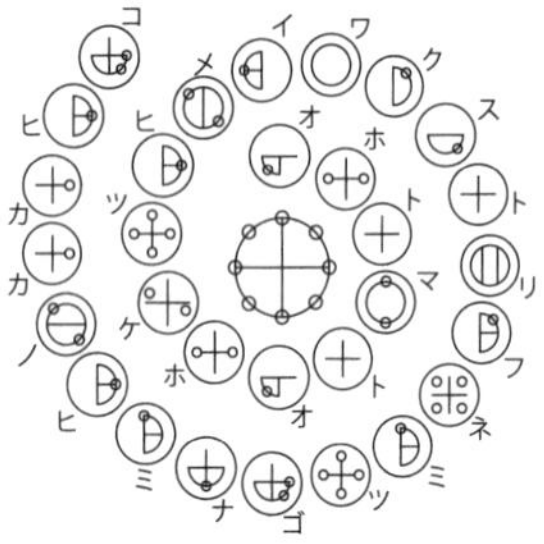

第26首

第27首

第28首

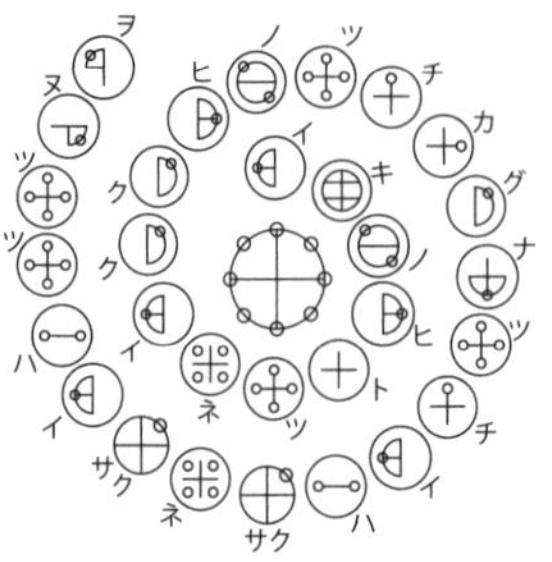

第29首

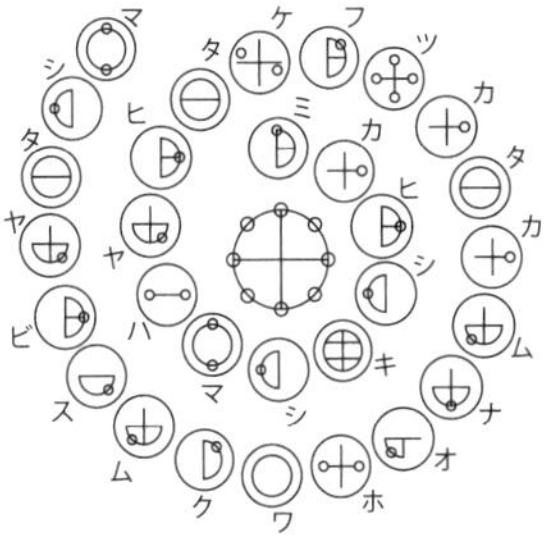

第30首

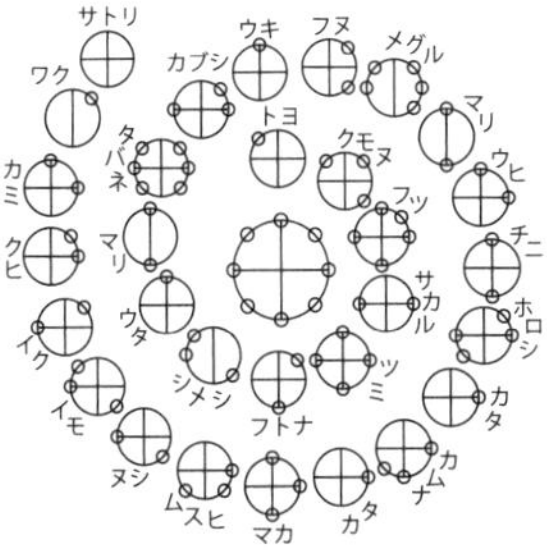

第31首

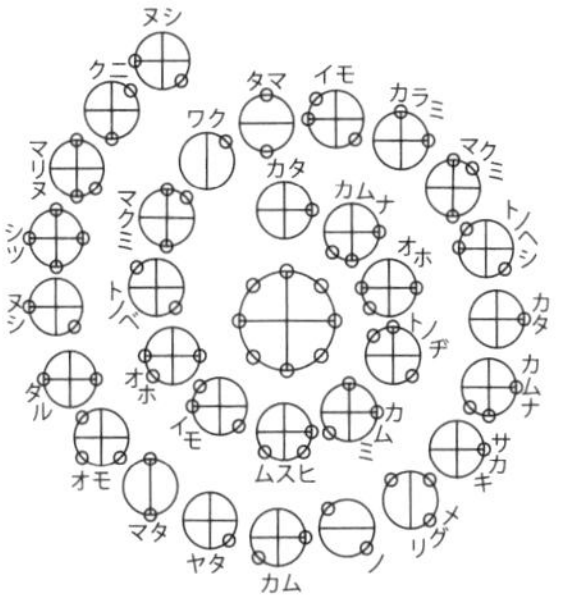

第32首

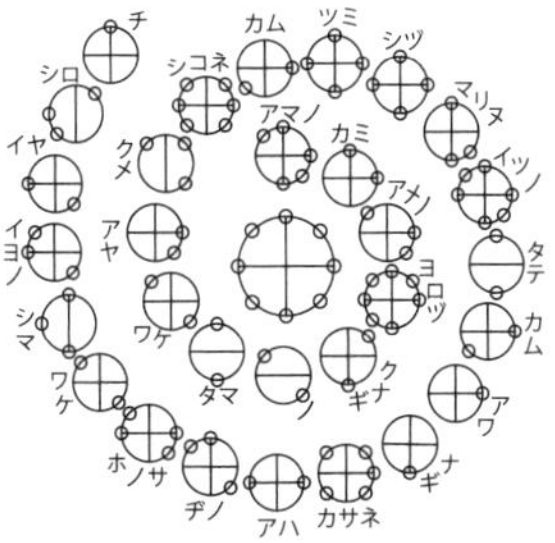

第33首

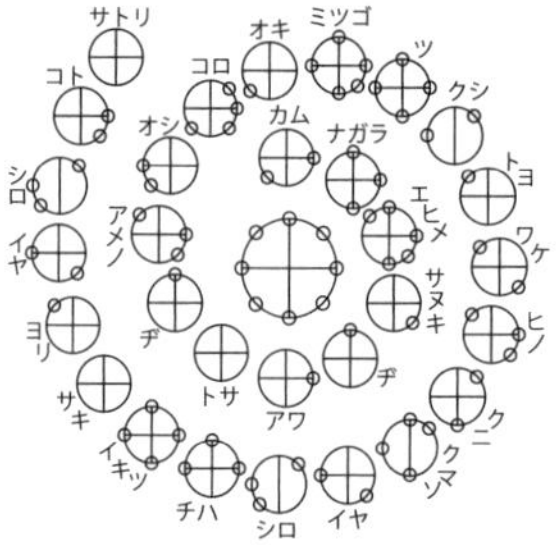

第34首

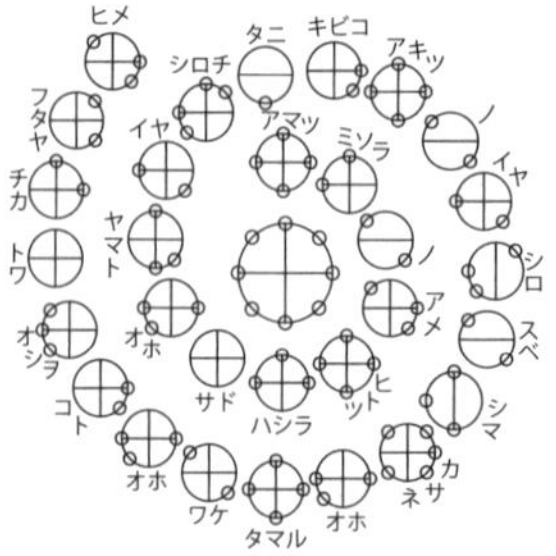

第35首

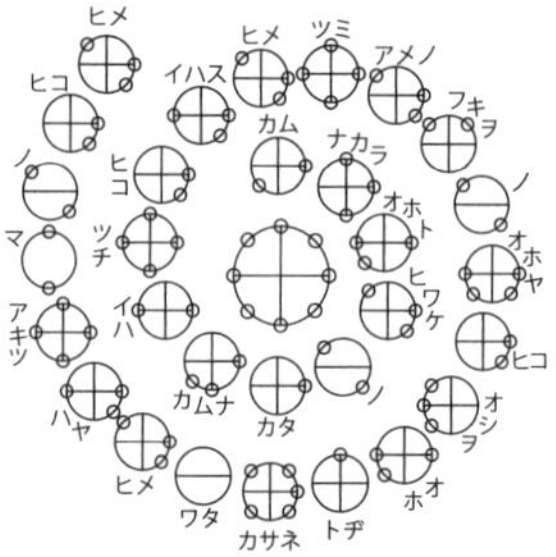

第36首

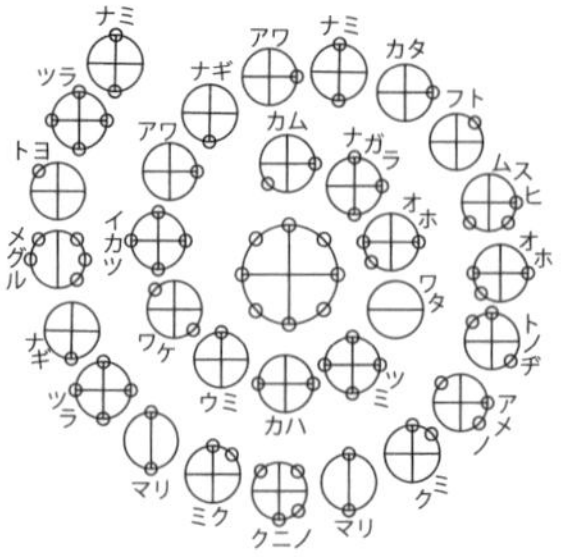

第37首

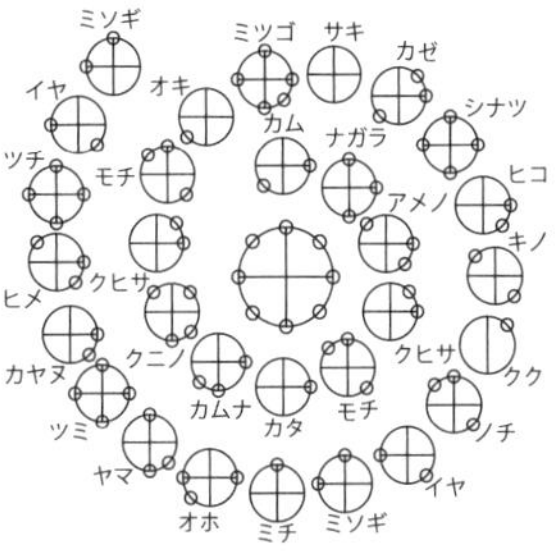

第38首

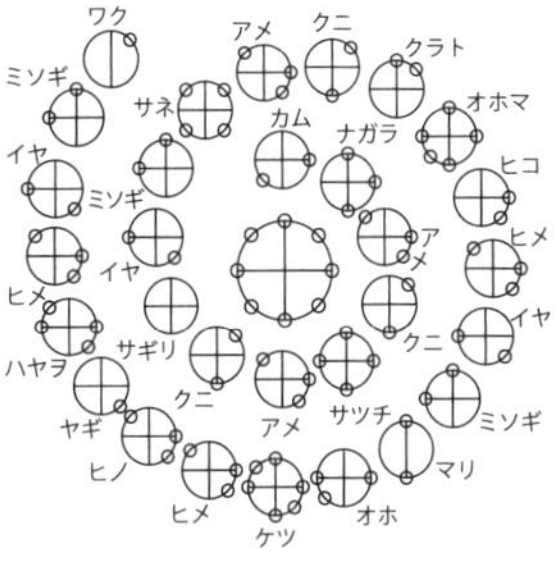

第39首

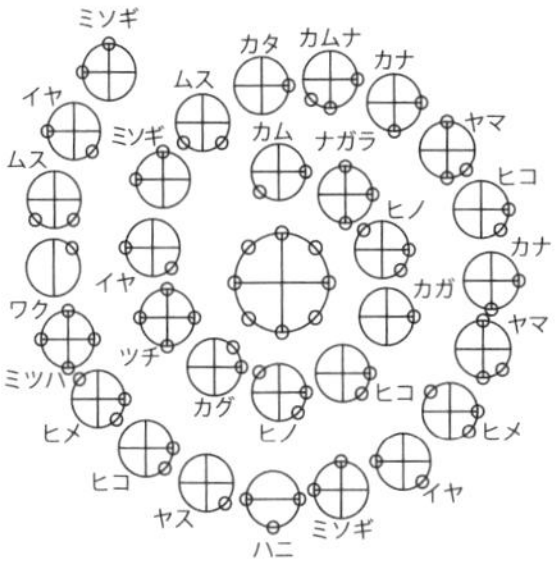

第40首

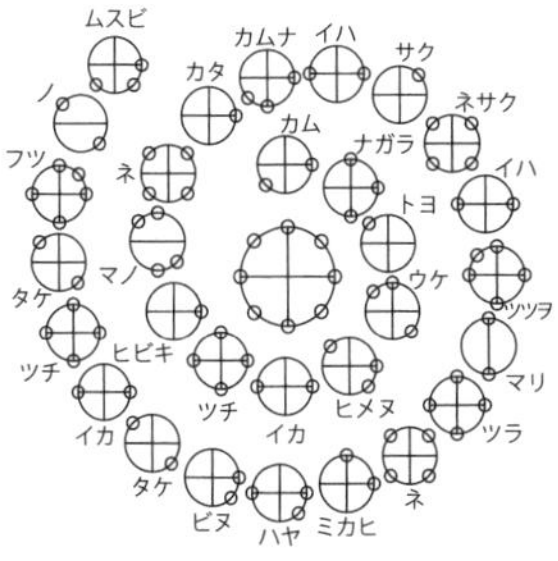

第41首

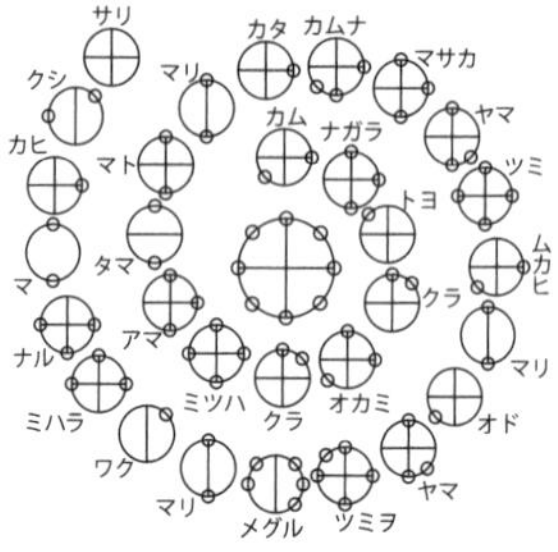

第42首

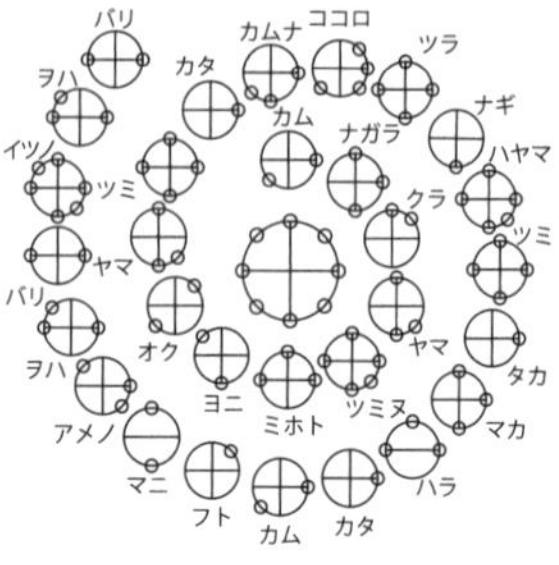

第43首

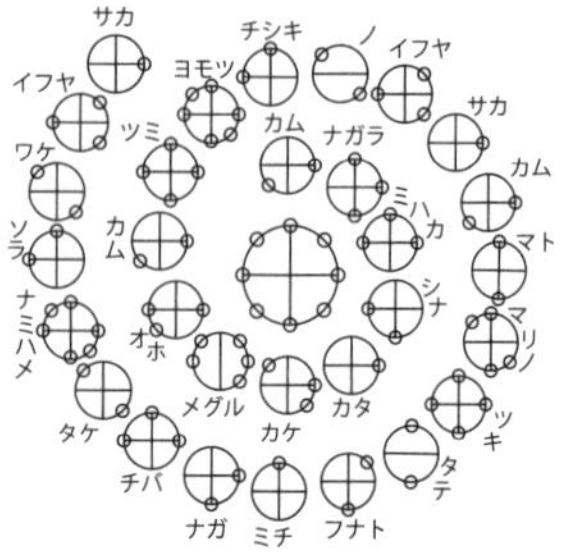

第44首

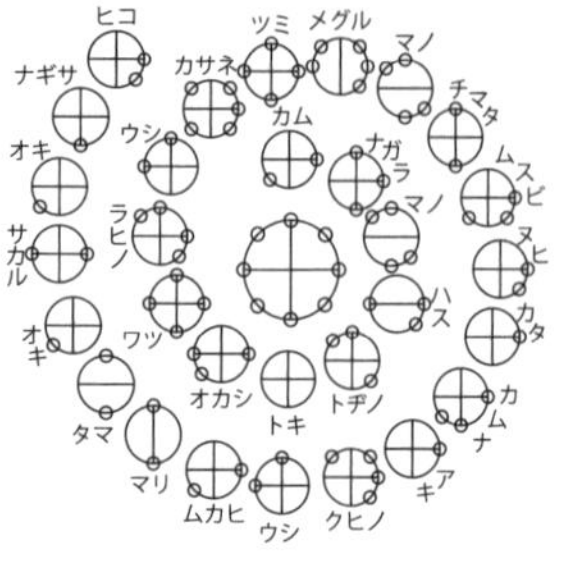

第45首

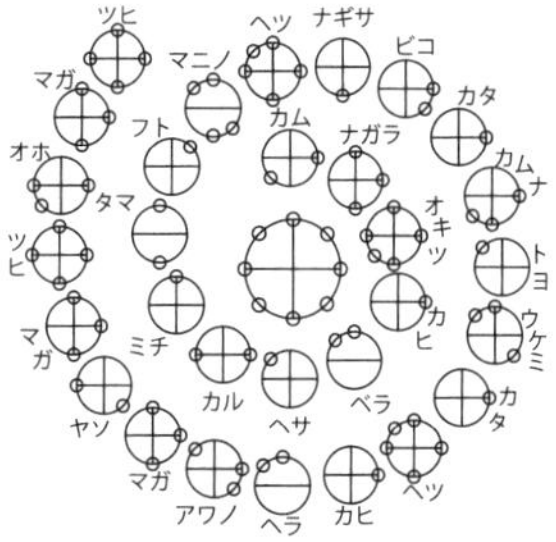

第46首

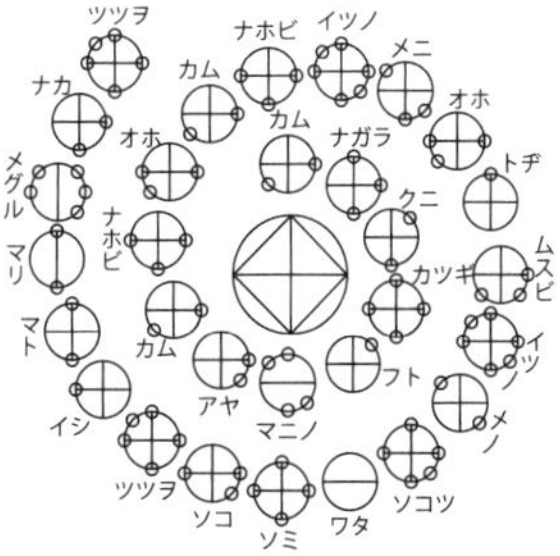

第47首

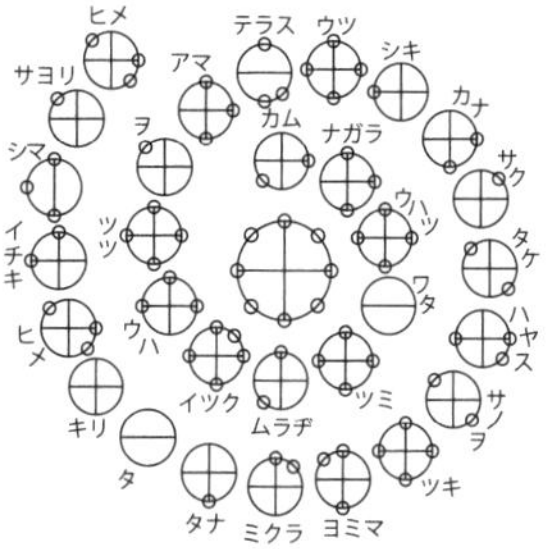

第48首

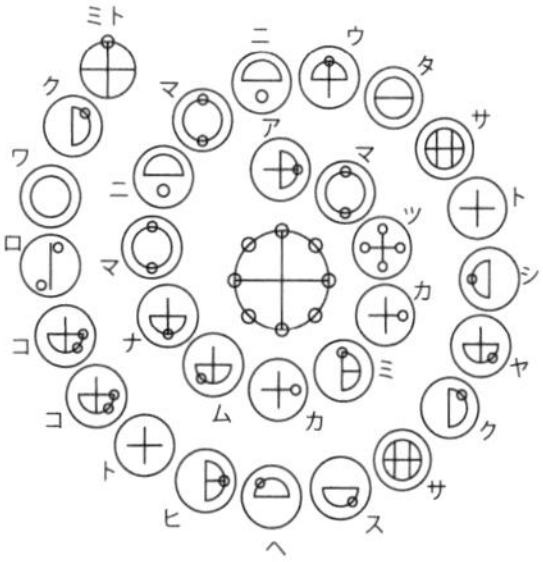

第49首

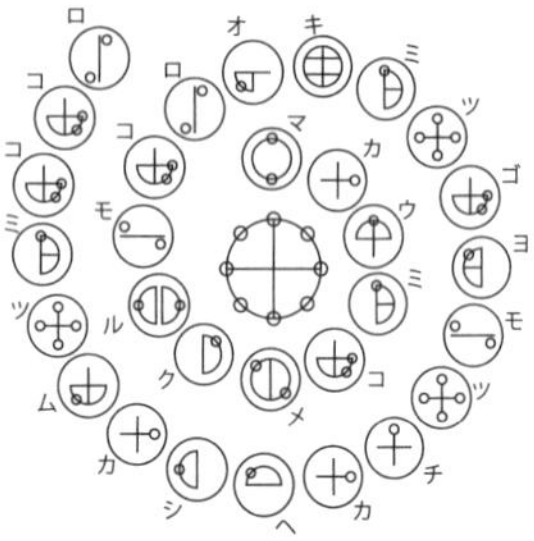

第50首

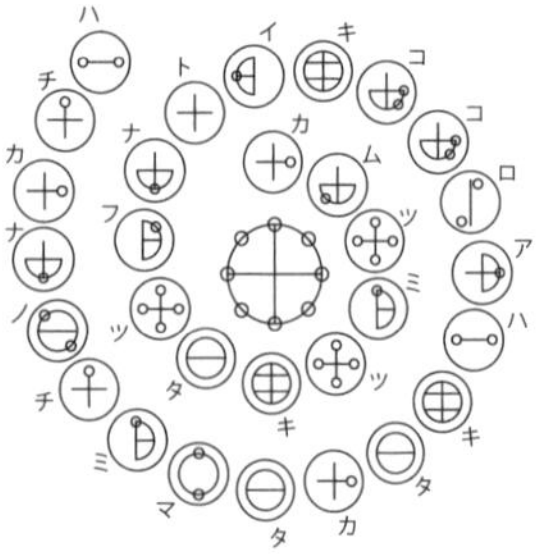

第51首

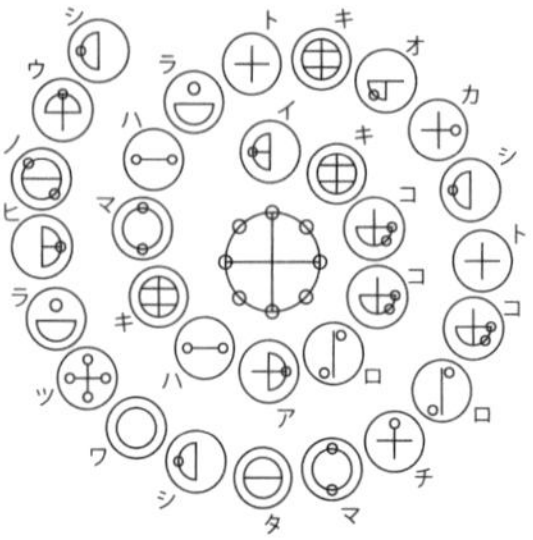

第52首

第53首

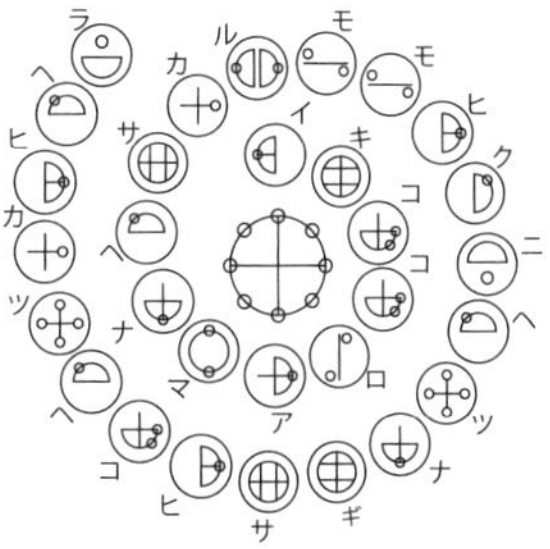

第54首

第55首

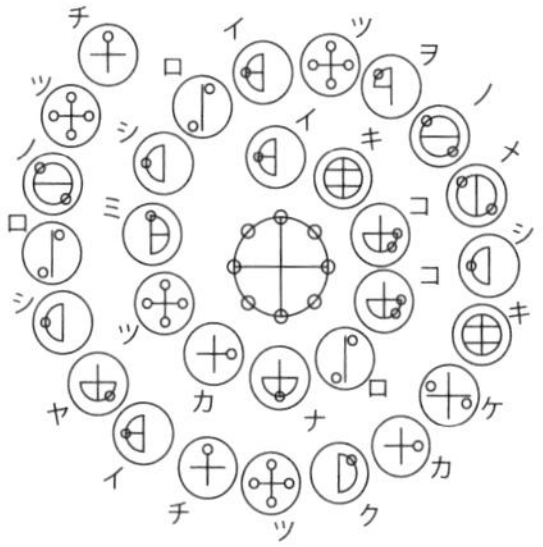

第56首

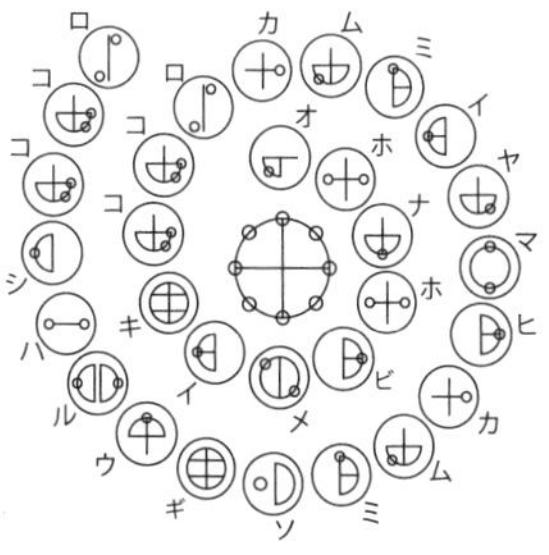

第57首

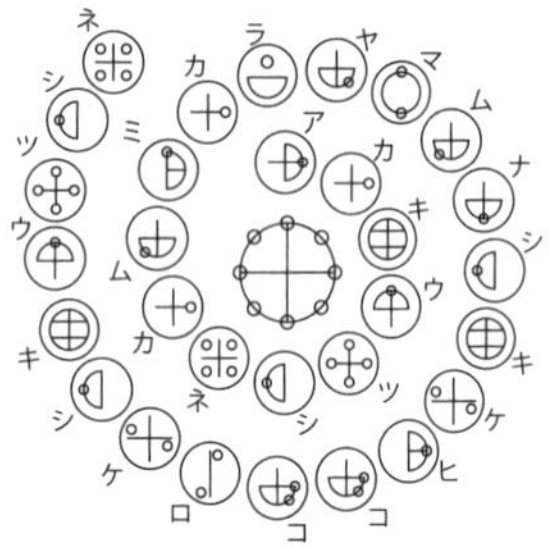

第58首

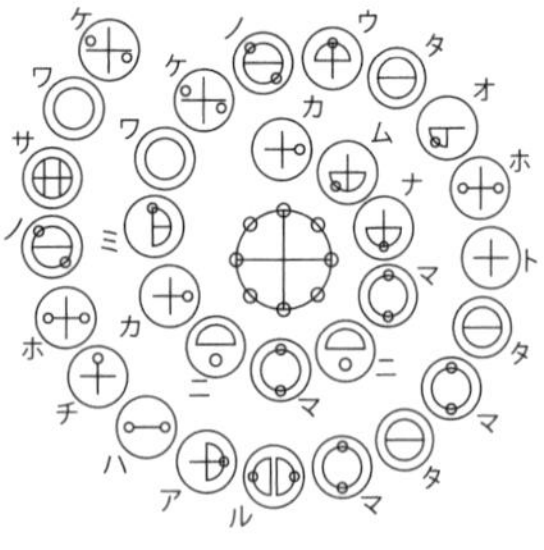

第59首

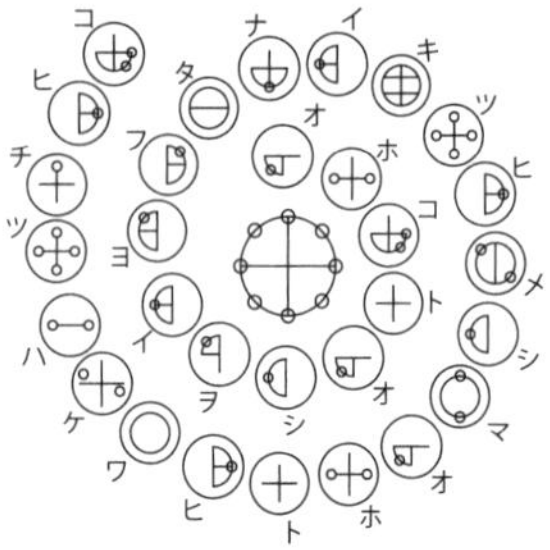

第60首

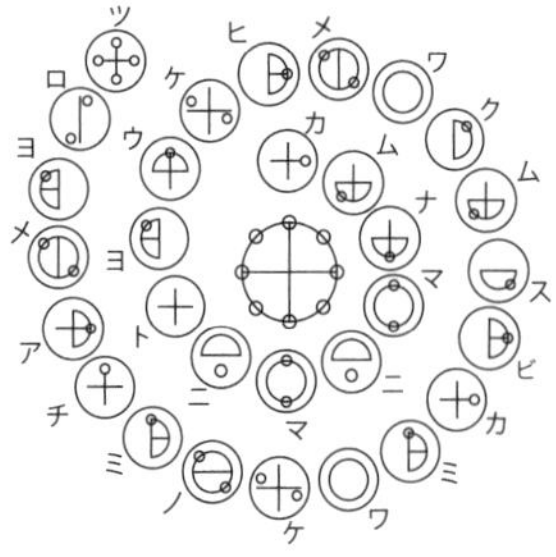

第61首

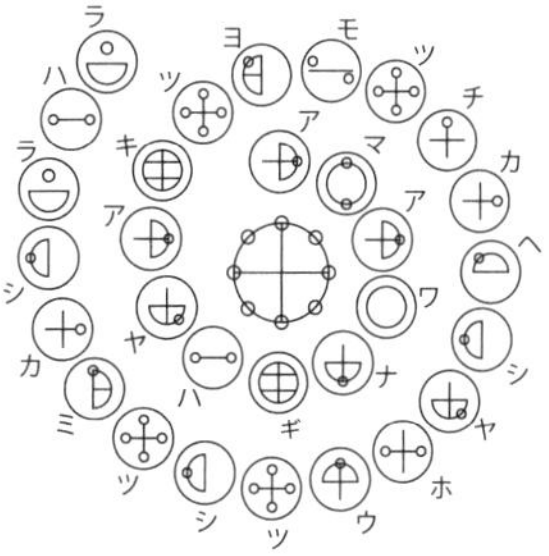

第62首

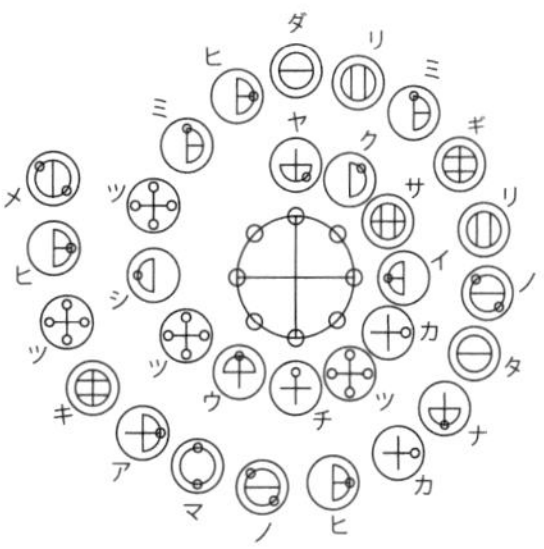

第63首

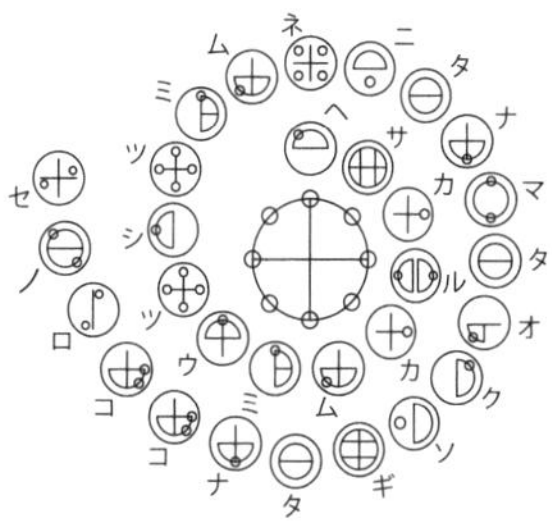

第64首

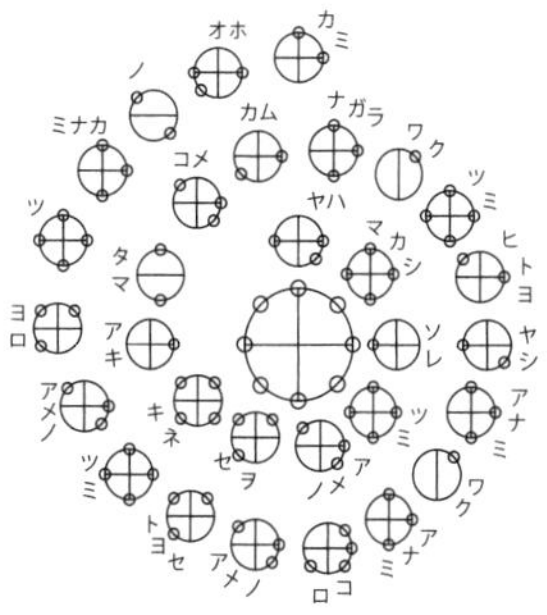

第65首

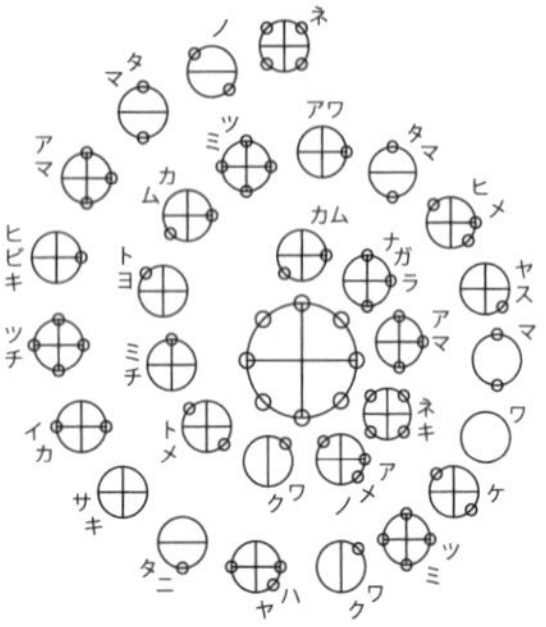

第66首

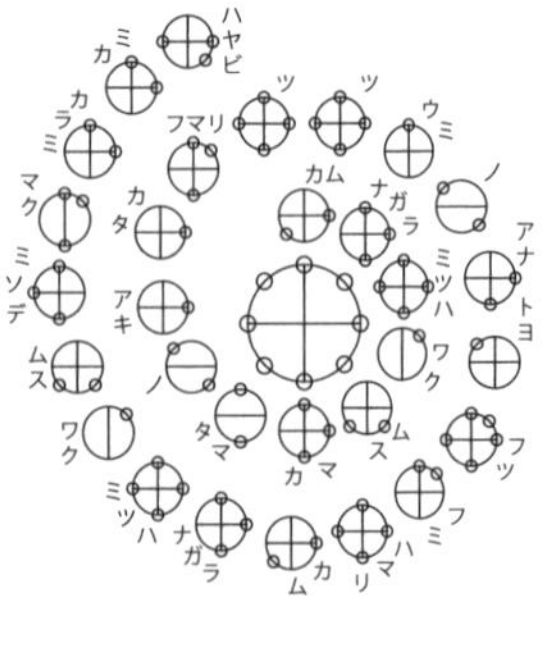

第67首

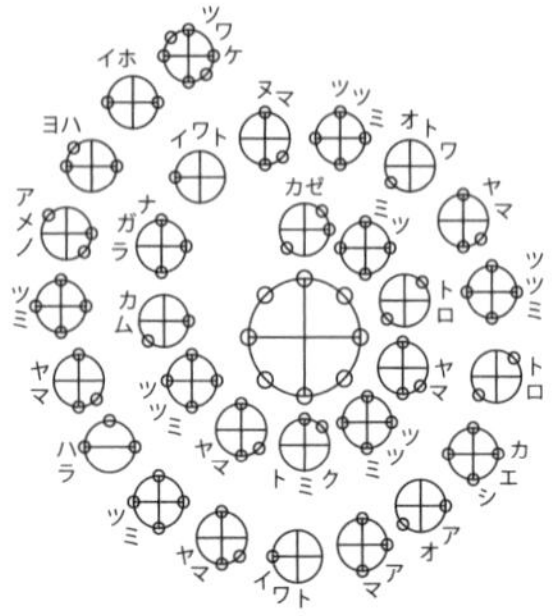

第68首

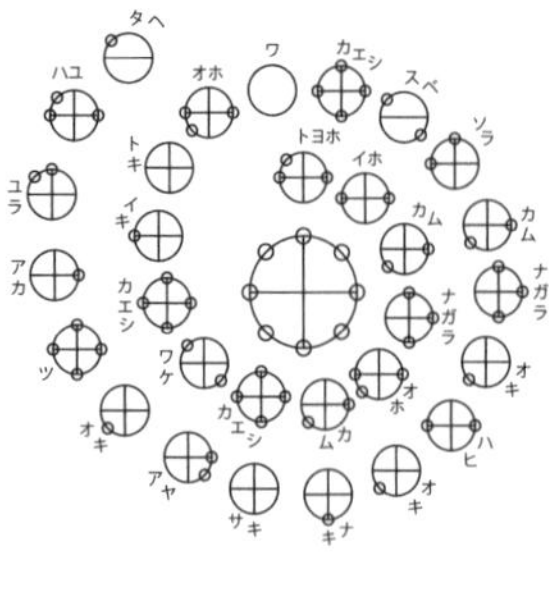

第69首

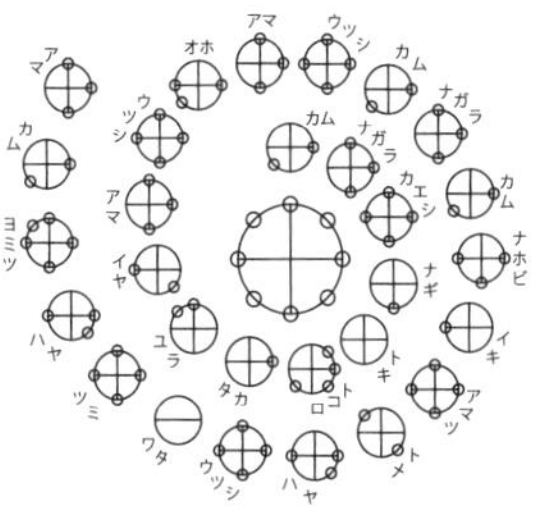

第70首

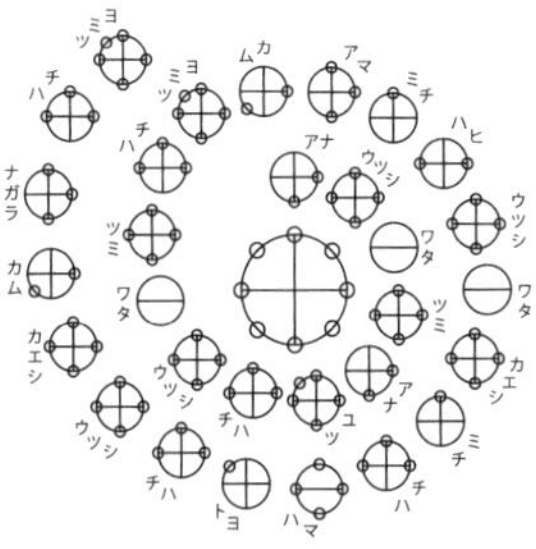

第71首

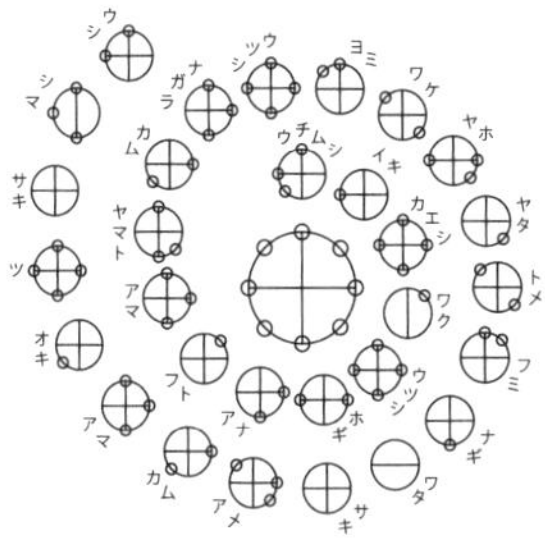

第72首

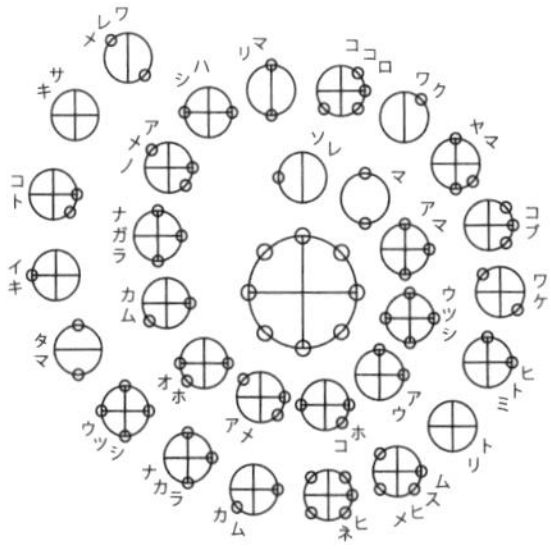

第73首

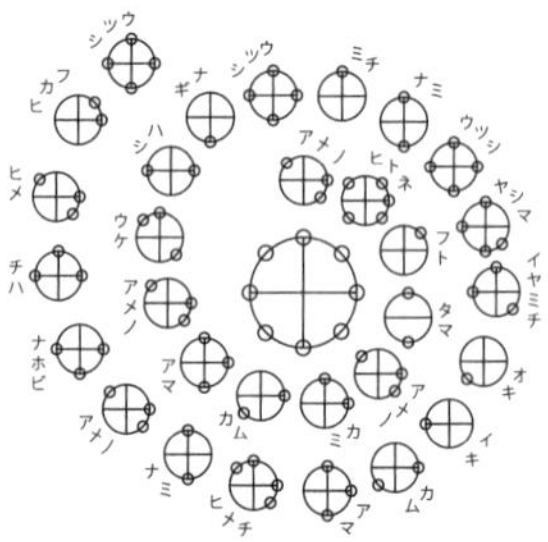

第74首

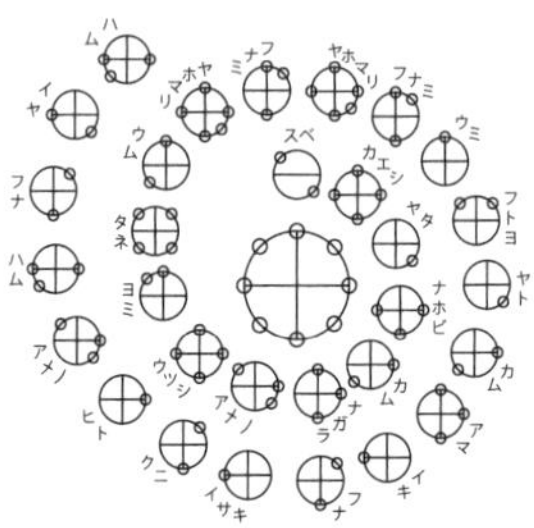

第75首

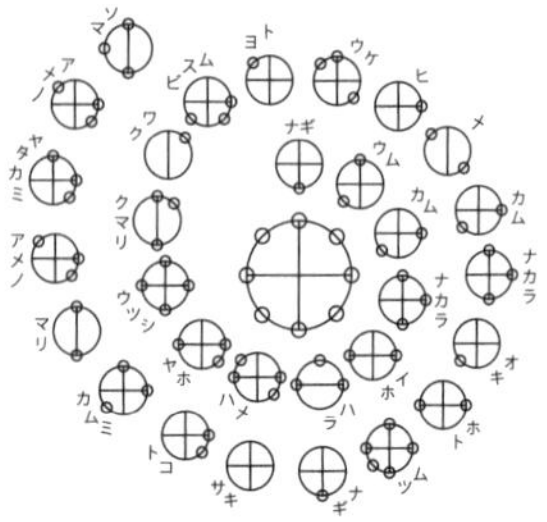

第76首

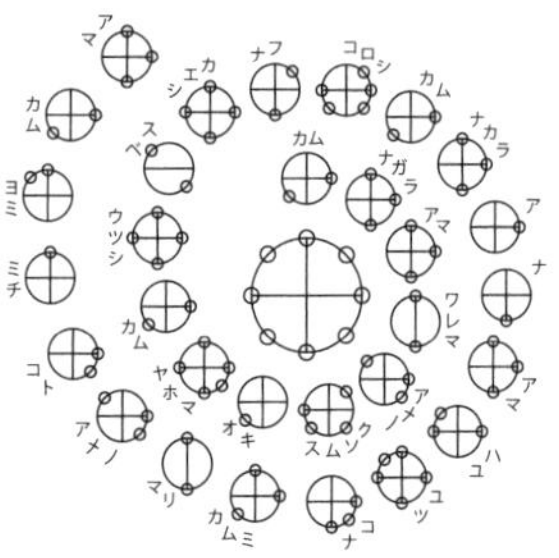

第77首

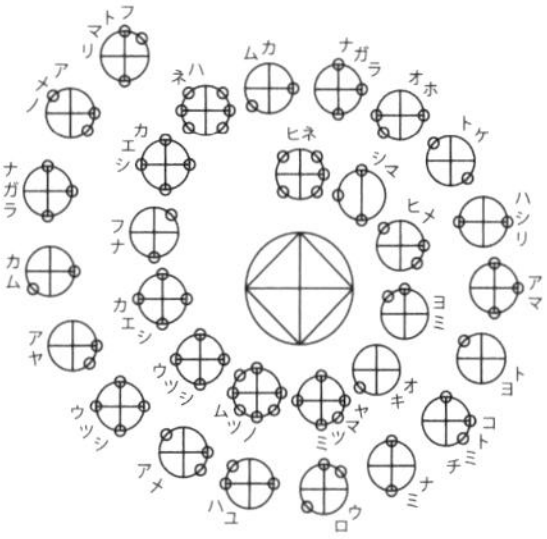

第78首

第79首

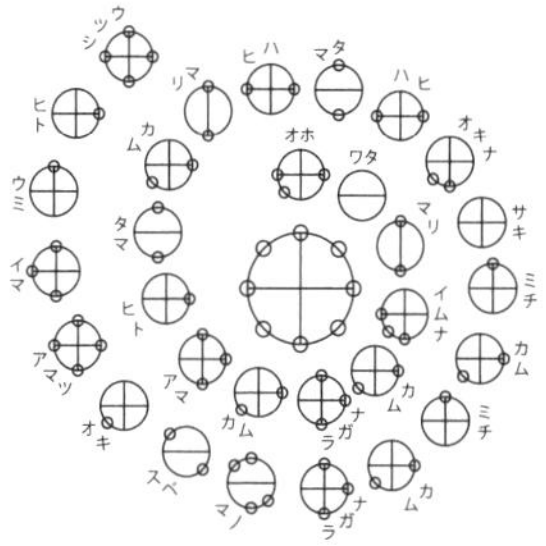

第80首

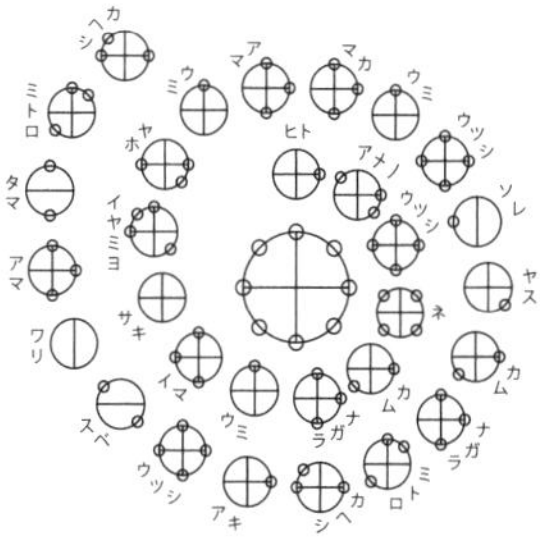

吉野 信子（よしの・のぶこ）

カタカムナ研究家。1952年生まれ、大阪府高槻市在住。日本航空国際線客室乗務員を経て結婚し、2男1女の母。1999年、シドニー在住時に、オーストラリアの通訳翻訳業国家試験（NAATI）に合格。以来、通訳、翻訳に従事しながら日本の源流である「カタカムナ」の研究に打ち込む。思念読みを体系化することに成功し、セミナー等で教えている。

【セミナー等の情報は下記オフィシャルサイトにて】
http://katakamuna.xyz/

カタカムナ　言霊の超法則

言葉の力を知れば、人生がわかる・未来が変わる！

第１刷　2015年９月30日
第15刷　2024年４月25日

著　者　　吉野信子
発行者　　小宮英行
発行所　　株式会社徳間書店
東京都品川区上大崎 3-1-1 目黒セントラルスクエア
郵便番号 141-8202
電話　編集（03）5403-4344　販売（049）293-5521
振替 00140-0-44392
カバー印刷　真生印刷株式会社
印刷・製本　三晃印刷株式会社

ISBN978-4-19-864015-6